D1460604

真正的爱，从来无关热闹。

最爱你的人，是陪你一起耐守平淡。

——苏芩

苏芩 —— 著

男人那点

一语点破人情　慧心指点迷津

女人那点

湖南文艺出版社
HUNAN LITERATURE AND ART PUBLISHING HOUSE

博集天卷
CS-BOOKY

目录
CONTENTS

PART 1
缘分的修行

PART 2
两个人的幽默

PART 3
人性的规律

PART 4
爱情方法论

目录 CONTENTS

PART 6
婚姻背后的孤单

目
录

CONTENTS

PART 1 缘分的修行

✳ "当你爱上一个人，最想做的事是什么？"

每一次，对面的他或她，挥洒着一脸微笑说："当然，要把她（他）紧紧抱在怀里。"

于是我信，这真的是一个曾经爱过的人。

有信命的人，跟我诉说他们的曾经，最终无不是同一句结尾："唉，有些人注定是等人的，有些人注定是被人等的……"

在他们心里，爱的错失，皆是，命的造化。

也许，对很多相爱的男女而言。

时间，总会在"爱过"之前，写下"曾经"。

慢慢流走的时间，慢慢让真实浮出水面。

之前它并非刻意掩盖，而是因为有爱，我们忽略了真相的存在。

就像。

有些女人恋爱时，自以为了解了男人。

失恋后，她才发现，之前的"了解"全是"误解"。

还像。

有些男人结婚前，自以为看透了情爱。

结婚后，他才惊觉，所谓的"看透"恰恰是因为他还"没看透"。

……

很多人总在问我一个问题："什么是爱的真相？"

其实，爱情，没有那么多伪饰。真相，一直围绕在爱的周围。

之所以你看不到，是因为，你在爱着。

人皆如此。

最亲密的距离能模糊一切真相，就如同拥抱时，我们看不到对方的

脸……

有些男人会让女人笑，有些男人会让女人哭。
虽然人人都劝她选择前者。但她的心，总会留给后者。

泪眼观爱

在众多的恋人中，你首先能想到谁？

在众多的约会中，你记忆最深的是哪一场？

在众多的爱情中，你最留恋的是哪一段？

……

很多人此刻想必默默沉思。相信，大多数人，先想起了曾经一段段的心伤……

女人喜欢能让自己快乐的男人。

女人割舍不下让自己不快乐的男人。

被父母反对的爱情，世俗打压的爱情，现实不容的爱情，生活折磨的爱情……女人一边恨恨地咒骂，一边疼疼地牵挂。

但凡爱过的女人，很难做到对爱狠心。

爱情中的女人，总因对面的男人而泪流满面。

当女人被泪水蒙住了眼，便看不清了男人、看不清了爱情。

泪眼观花花含雾。

泪眼观人人多情。

一段洇满了泪水的爱情，在女人心里，总会格外的与众不同。

流泪的时候，你想到了很多。

当把泪水流干，你记得的，就只是曾经流泪的经历。

女人，即便陪在那个让她开怀的人身边，心里依旧放不下那个曾让她蹙眉的人。

伤心的爱情，总比开心的爱情更让人眷恋。

不是因为伤心之爱更美妙。

而是，伤心之际，我们被泪水蒙了双眼。

很多人感触：真爱，总在婚后才会突然出现。
看来，恨不相逢未嫁时，不仅仅只是哪一个人的感触……

勘破那份缘

说起最理想的婚姻状态，每个人的观点都差不多：最爱一个"心灵伴侣"。

能有共同语言，才能有让彼此坚定相爱下去的信念。

大多数人苦恼的是：这样一个人，总是迟迟遇不到。

年轻时，遇不到那个人，迫于年龄压力，不得不选择进入婚姻。

当为人夫为人妻、一切板上钉钉之后，那个人忽然出现了。一刹那的惊喜，最终还是要面对失落。到了此时此刻，责任要求你，不得不说"放弃"。

越美丽的际遇，越会在不恰当的时间段内来临。

不是因为爱不逢时。

而是当一切尘埃落定之后，人反而能静下心来谈恋爱。

在此之前，人想的更多是：如何尽快搞定一场恋爱！

张爱玲说，于千万人之中，遇见你所要遇见的人，于千万年之中，时间的无涯的荒野里，没有早一步，也没有晚一步，刚巧赶上了，没有别的话可说，唯有轻轻地问一声："哦，你也在这里？"

人生，其实没有不早不晚刚刚好。

你能得到"刚刚好"，说明是克服了内心的贪欲。

人生中，有些缘分来得早，有些缘分来得迟。

来得太早的缘分，你不见得会珍惜。因为觉得前头一定还会有更好的。

来得太迟的缘分，其实还不如不来。因为结婚之后的任何缘分，都只能算是人生对你的考验。

恨不相逢未嫁时，大概，每个人都有过类似的感慨。

有些相逢，过于唯美，也就注定了擦肩……

大多数好男人都成了女人一段落寞的往事。
若干年后回想起来，会微微一声叹息。
不过，若时光重回，她的选择依旧会一如往昔……

与好男人擦肩

很多女人跟男人说的最后一句话是：其实你真的很好……

于是在听到这句话之后，男人心里凉了：完了，没戏了。

谁都明白。

当一个女人说"你真坏"，意味着她打算接受他的追求。

当一个女人说"你真好"，意味着她没打算做他的女朋友。

但这句"你真的很好"里，隐藏着女人最微妙的纠结。

"你真的很好，可要再'坏'一点就完美了。"

"你真的很好，唉，今后就没办法享受你的'好'了。"

"你真的很好，可是日后终归是别人的男友了。"

……

女人拒绝一个好男人的追求，心里总有点遗憾。

年轻女孩若真觉得一个男人一无可取，她只会头也不回，甚至懒得理会他心里的感受。

当一个女人开始顾及男人被拒绝的感受，那说明，她心里明白，他是有他的优点的。

只可惜，大多数好男人都太实在。总把这一句当成永恒的句点，其实是他不明白，不是不合她的要求，只是追她的方法，有些不对她的胃口。

换个方式再去追，结局往往是不同的。

好男人的好，好在太"实在"。

这是男人最值得信赖的处世品质，也是女人最深恶痛绝的恋爱资质。

每个女人一生，都会有拒绝一个好男人的经历。

也许若干年后，她会在心底暗暗后悔。

每个妈妈都会告诫女儿：坏男人中看，好男人中用……

那是因为，当年的她，曾与一个好男人擦肩……

走进了你生命的人，会带给你一段人生。
走近你生命的人，会留给你一段记忆。
每段过往，都不会是无意义的。
虽然最终陪着你的人，是一生的归宿。
但最初陪过你的人，也是生命的礼物。

走过你生命的人

回想起初恋，男人笑容良多。

回想起初恋，女人泪水更多。

相比于男人，女人更爱纠结于初恋时的"付出"。

虽然，纠结，也是爱的表现。

对于失恋，感官上是痛苦的。

因为爱的感觉还在，可爱的行为已经不能再进行下去了。

甩得掉的是人，甩不掉的是因他而成的习惯。

每爱一次，都会有一个"印记"留在你的生命中。

因为爱那个人，改变了生活习惯。

当你不再爱了，那"习惯"还会一直跟着你，直到你一生。

你甩不掉它，永生永世留有他爱的痕迹……

所以，还纠结什么，还抱怨什么。即便是伤，那也已经是你生
命的一部分。

莫文蔚总结自己一段段的失恋时说："每一段感情都是课堂，都会教给我想要的东西。"

　　真正爱的世界里，没有"负心"的概念。一个人若是已经不再爱你却还假装爱你，那才最令人鄙夷。

　　失去的恋人，要把他想得好一点。

　　虽然，没能陪你到最后。

　　但，每一个你爱过的人，总会留下一份生命的礼物……

有些人爱你，会时刻陪伴你。
有些人爱你，会偶尔远离你。
也许前一种爱，会让你觉得骄傲。
后一种爱，才是真的把你爱到了深处。

真爱不在身边

　　每个女孩寻找爱人的标准都有不同。

　　但每个女孩对爱人都有一条共同的要求：时刻伴我身边。

　　"我人生中的每一个重要时刻，都需要他出现在我身边。"

　　女人总以物理距离来衡量爱的距离，只要三米开外，她便乱了方寸，没了安全感。

她认为这就是爱，可爱的温度，岂会是距离量得出？

我和他如此。

我生活中每一个重要的场合，他从不会陪在我身边。

他觉得，一旦有最熟悉的人在侧，难免会觉得不自在。

他怕他的在场会让我不自在。虽然不会。但他仍旧。

他从来只远远地看着我。当我别离了热闹，喧嚷与清冷的交接处，他等在那里。轻轻牵我走回安静的生活。

……

真正的爱，从来无关热闹。

最爱你的人，是陪你一起耐守平淡。

宝玉挨了打。母亲祖母姨妈嫂嫂表姐妹团团围在身周，可最爱他的黛玉，远远地，站在树荫下，默默为他垂泪。

真正爱你的人，不见得总在离你最近的地方。

每天早上，第一缕阳光拉开这一天的大幕。

每天晚上，最后一缕阳光又让这一天的戏码宣告落幕。

每人每天都在谢幕。

当你谢幕后，第一个想起的人，就是真爱。

如果，那个让你想起的人，也同时在想起你……那你要相信，尘世的情爱中，不会再有人能给你更多。

不论贫穷还是苦难，这样的一个人，如果可以，不要错过。

每一种发型，都有女人的一段爱情观。
女人的发丝，藏着隐隐的情丝。
当女人想要变换发型，也许，是她对爱情倦了……

三千情丝

记得听过这样一句话：在男人面前抚弄头发，定是她的心乱了。

头发是女人的第二颗心。女人头发上的细微变化，反映着女人内心的最隐秘变化。

恋爱之前，女人通常会把头发整整齐齐地扎个短辫，额前鬓角梳得一丝不乱。精干利落，但也并不太流行。

这样的女人还未进入恋爱的状态。对待生活虽然有实干的心态，对周遭的世界也总多了些微的挑剔。

过不了多久，她会明白：女人要让自己装扮得流行，是为了成为男人心目中流行的女人。

于是进入恋爱状态后，女人会把头发放下来，慢慢地等头发变长一点，再长一点。能让女人把头发放下来的男人，通常也能让她把心奉上来。长发披肩的女人，最符合男人心中的情人标准，同时，一个长发披肩的女人，隐隐透露着她对"成功"的渴望。恋爱之后突然换上了垂肩的直发，说明，这个女人对这个男人，志在必得。

恋着恋着，女人的直发会慢慢变成波浪卷发。随着恋爱经验的飙升，女人外形上的流行指数也会随着飙升。一个女人的审美从直发变成了卷发，也说明对待生活和爱情的态度越来越现实。一个女人开始常常出入发廊去烫染自己的头发，紧接着，她审视身边男人的眼光会越来越实际和世故。

不少经历过 N 次失恋的女人，会彻底想开了。发型开始求新求怪，甚至会把之前留了多年的长发剪成短寸。她们开始锐意张扬自己的个性，当受人关注时，她感到，内心中，不再那么寂寞。

女人开始想到换发型，说明她开始想换爱情了。

一个女人频频更换发型，说明她最近遇上了一个很难搞定的男人。

女人这一生，总在头发上花费着心思，那是因为，那三千青丝间，萦绕着女人的情思。

男人的承诺让女人感动。
男人的轻抚让女人悸动。
寂寞的女人总有根敏感的神经。
简单一个拥抱，能引发寂寞女人多少动情的泪……

寂寞的拥抱

女人总嫌男人猴急。其实，猴急的何止是男人。

仔细观察，会发现这样一个状况：越是感情空缺的单身女性，越喜欢身体上的接触。

与同性的好朋友手拉着手去逛街，与闺密耳鬓厮磨地聊心事，与公司的女同事们勾着肩膀说说笑笑。或者有些女人，独处时，总爱抚着自己的手臂，捋着自己的头发，无聊中有些怜人的姿态。

身体上的小动作越多，说明她对爱的渴望越深切。只有当踏踏实实拥有了爱情之后，身体上的躁动才会慢慢平复下来。

心理学上认为：在良好的沟通模式中，肢体语言的交流能占到55%，而口头语言只占到45%。

可见，想要获得一个人的好感，一定要适当地有身体上的接触，尤其是拍拍对方的胳膊或肩膀，更可瞬间获得对方的好感。

一男一女交往更是如此。

恋爱时，当他第一次牵她的手，当他最初无意间揽了她的肩，那记忆，在女人心里，总是一世不忘。也许，从那个时刻开始，她才真正地爱上了他。

　　说不清是爱上了他，还是爱上了他一掌间的温暖。但无疑，他的掌心总能召来她的动心。

　　寂寂都市中，小动作频繁的女人总会越来越多，因为，繁华给了我们喧嚣，也给了我们孤静。尤其随着时代的发展，女人选择爱情的标准总会越来越高，曲高难免和寡。于是随着年龄的增长，女人会特别喜欢一个动作——双手抱臂，一边无意识地用手轻轻抚摸着自己的臂膀。

　　优雅的落寞，精致的孤单，也是一个单身女人对爱的叹息……

　　征服一个寂寞的人，其实最简单，仅仅只需一点点皮肤的碰触，一发间，牵动了全身，燃烧了整片神经！

　　短暂的情事越来越泛滥。

　　说不上对或错，谁让，当一个人独立于世，总需要寻求一些支持感。人们会选择身体上的依偎，是因为，她以为这就是摆脱了孤独。

　　只是，寂寞时，因一个拥抱而来的心动，也常常会让你在心动之后，加倍地寂寞……

女人身上不爽，那是源自她心里不爽。
女人对男人喊"身上不爽"，那是要告诉他"你让我心里不爽"。
女人病了，是因为男人慢怠她了。

姑娘，你为什么病了

中国最著名的病美人当属林黛玉。有意思的是，林黛玉的病全因贾宝玉。

红楼故事的发展中，只要贾宝玉专一体贴之际，林黛玉便饭也吃得多些，觉也睡得好些，身体也比之前爽快些。但凡贾宝玉又遇上了漂亮的姐姐妹妹而分心时，黛玉便又重新捧起了药罐子。

因爱情而生病的女人，不止林黛玉一个。

生活中得不到爱情满足的女人，常常是多病多痛，头也疼，腰也疼，肩也疼，背也疼……浑身上下，总是不舒服！

这些身体部位的不舒适，隐藏着些许情爱的暧昧：头疼，那是对爱情的思虑过多；腰疼，代表着对欢爱的不满足感；肩疼，那是少了一个异性的拥抱；背疼，是因为很久很久没有被亲昵地抚摸。

女人从不装病，缺爱的女人时时刻刻都在真病。或者说，她潜意识中渴望生病，也许，那可以帮她换回枕边人更多的注意力。就像很多小孩子想获得父母更多的关注，他渴望生病，于是真的出现了病征。

一个女人，身体上每一个暧昧的部位，痛还是痒，关乎的，都是"情爱"二字。

身边不止一对夫妻因女人的自虐而吵架，妻子抱怨丈夫的冷漠，丈夫只说："她就是爱演戏。她虐待自己不就是逼我先认输吗！"

这话没错。如果说女人的泪是为了让男人看到，那女人的病，则是为了逼男人就范。

病由心生，一个女人，喊"身体不舒服"的次数越多，代表着，真实的状态是：她心里不舒服。

想医一个女人的病，永远，男人是最好的郎中。

女人都愿意相信一个迷信的说法：女儿是父亲前世的情人。
所以很多女人，对今世的情人，也像女儿般索取宠爱。
她觉得，不论前世还是今生，这都是他理所应当为她做的。

谁是你前世的情人

女儿是父亲前世的情人。

所以，这辈子情人太多，小心下辈子太多女儿伸手张口来讨债。

女儿是父亲前世的情人。

即使他对你不好，也别恼，今生他欠你的情，来生会翻番地还给你。

女儿是父亲前世的情人。

可女人更关心的是——他前世的老婆是谁?

女儿是父亲前世的情人。

所以每个父亲对女儿的付出是不计较成本的——因为他知道,他欠过她的。

女儿是父亲前世的情人。

所以每个女儿长大后第一件事就是找个情人——也让他尝尝"失去"的滋味。

女儿是父亲前世的情人。

可见,这辈子给不了女人婚姻,下辈子得给她生命。

……

女儿是父亲前世的情人。

这是我最喜欢的一种迷信。

今生,她为你倾其所有,来世,必要你为她穷其一生。

不论来世,还是今生。

爱，只能用爱来偿还。

女人总抱怨他给得太少。
实则是因为她给他的太多。
付出越多，女人对爱的野心也就越大。
女人的野心，也是因为她有颗惶惑无助的心。

野心的赌注

但凡女人，总有"被忽视"感。

女孩总会说："曾经是他更重视我，现在却变成了我更重视他。我想我在他心目中的地位越来越轻了。"

也听过不少男孩说："女孩为啥都那么神经敏感，总觉得我不重视她。她还想要我怎么重视她？！像热恋时那样一切不管不顾？！生活是得继续的，我也得赚钱吃饭，恋爱也不能爱得没完没了？！"

女人总抱怨对方给得太少，那是因为，她给他的太多。

倾其所有，她认为要赌上一把大的，可赌注押得太多，注定女人要输到惨绝。

赌注押得太大，是因为人输不起。

一个真爱上了的女人，更是没人输得起。

真爱上一个人，女人心底会生出更多更多的惶恐，会日日想尽一切办法抓住他。

真爱上一个人，男人心满意足如释重负，然后去做其他自己该做的事情。

恋爱越久，男人越希望爱情能成为自己生活中较小的一部分；恋爱越久，女人越希望爱情能越来越变成生活中的更大，乃至全部。

随着感情的深入，男人会越来越自信，女人会越来越不自信。

这是时间，给予恋爱男女最不同的礼物。

所以啊。

别总觉得他把你看得太轻。也许只是你总把他看得太重。

男人都渴望占有处女。实则，女人也渴望占有处男。
过往的经历，会成为男人女人心底的疤痕。
那段不曾拥有他（她）的时光，假想起来，该是多么的抓心挠肝……

更早地遇见，更好地拥有

前女友、前男友，是男人女人心中的一道伤疤，既不忍去看，又无法挥之而去。

当一个人用力爱过一次，之后的爱，总有些力不从心。

很多人爱上了经历过"长恋"的人，内心中总会有格外的不平衡。你爱的人，曾经那么深切地爱过另外一个人……那种感觉，午夜梦回，总是一阵撕心！

女孩说："我争也争不来，怎么办？无奈！"
既然注定了争不来，那最聪明的做法，就是让他的那段记忆淡下去。不要再提及，就这样让所有的"曾经"，尘封到心的最深处。

虽然，恋爱中，提及"前关系"，就离争吵不远了。但两个人之间，永远不要因为"前关系"闹矛盾，每闹一次，就等于让对方重新想念了那个人一次。
女人的任性，只是帮助其他女人得到他的心。

爱上了一个曾经经历过"长恋"的人，最好的办法就是：用你和他的幸福经历，去盖过他和她的曾经。
不论曾经多么的海誓山盟，人，始终还是会不由自主地更眷恋身边的那个人。要知道，人总是趋利避害的动物，谁都会不自觉地朝"幸福"去靠拢。

只要在今后的生活中快乐地去相处，时间久了，属于你们的记忆，自然会慢慢盖过他们的曾经。

既然注定无法更早一点地遇上他，那就用更快乐的方式拥有他。

女人不敢向男人主动求爱。
怕被拒绝。更怕被嘲笑。
但一个女人的求爱，不论接受与否，男人心里，始终会感动不浅……

有一种记忆，让他感动一生

谈恋爱，女人都在等男人来追。

如果男人不来追，不论心里爱他有几分，也终究只是无果。

男人对女人最大的肯定，是向她求婚。

女人对男人最大的肯定，是对他说爱他。

男人其实比女人更容易感动。来自女人嘴里的爱，男人是没有抵抗力的。

生活中，常有些已婚男人被未婚女孩追求，他不拒绝，相反会维持这种三人行的状态。

世人说这是男人的自私。

其实不全是自私。那也是男人心里的"知遇之感"。

如果你喜欢一个男人，如果条件允许，那应该尽量告诉他。

不要担心会丢脸。当一个女人主动对男人表达出好感，男人内心会有很大的激动。

不论他的答案是什么，但一个女人的示爱，男人，是会感动且会记一辈子的……

不要怕他将来会得意扬扬地跟别人去炫耀。

即便他会说起这段曾经，心里也一定是在感慨：曾有过一个女孩，是真的欣赏我……

女人都认定一个道理：男人越被甩越痴情。
于是她们都爱跟他们玩猫捉老鼠的游戏。
玩到最后发现：女人以为自己是猫，实则最终成了老鼠……

能让你笑的男人总能让你哭得伤情

那些恋爱经验不太丰富的女孩对待男人的"追求"，总是抱了享受的心态。

如何享受？

那则是：尽量拉长被他追求的时间。

男追女的游戏中，他越是铆足了劲儿地真心真意追求，她越是不从。

但每每当他要放弃之时，她略略丢过来一点"鼓励"，于是，激他继续追下去。

此刻，她面若冰霜，但内心窃笑不已。

谁让女人都认一句话："越难得到的东西男人越珍惜。"女人总觉得，越不容易让他追到，越能更持久地拉住他的心。

可事实真是如此吗？

男人的爱，永远需要女人的鼓励。女人喜欢玩猫捉老鼠的游戏，但在男人看来，会无方向感。

所以生活中，当女人终于愿意开恩"接受"他的时候，却屡屡是终于给了男人一个可以功成身退的理由。

"证明了自己的魅力即可，不然，这么难缠的女人，真能厮守一生吗？"

所以，男人都讲一个道理：自己越不真心，反而越能换来女人的真心。

都说"男人不坏，女人不爱"，其实，男人的"坏"，不是真坏，而是一种变化性。女人最不爱的一类男人，是那些一成不变死气沉沉的男人。即便他真心他踏实他矢志不渝，但在年轻女人心里，他就是缺了点情趣。

可是，那些变化多端的"坏男人"不同，因为不是非要以结婚为目的地恋爱，自然不会时时害怕得罪她，于是心态和行为都足够放得开。在这种活跃的感情氛围中，反而能释放出自己的灵活性变化性幽默性，得到女人的好感。

所以，有些人，能时时逗你乐开怀，那也许是因为他没有时时刻刻小心翼翼把你揣在心里。

有些人，虽然总让你觉得无聊加乏味，但也许正是因为他害怕伤害到你。

恋爱中，爱得越深，人的行为越拘束。

所以，评价一个男人有多爱你，真的不要只看他一天能让你笑几次。

一个太轻易就能让女人笑的男人，也总能让她哭得更伤情……

"我该拿什么报答爱情？"
不少女人日日自问。
如果你不爱他，那最好的报答是"绝情"。

拿什么偿还爱情

有些男人，得到了女人的施舍，会想到报复。
这个报复的方式，常常是用爱去完成。

多数女人，得到了男人的施舍，会想到报恩。
但女人报恩的方式，似乎也只有用爱去报答。

所以，面对一个男人深深的爱。
有些女人会说："你的爱我无以为报，我愿用一生的时间去偿还。"

有些女人又会说："你的爱我无以为报，我会努力赚钱，用无尽的物质去偿还。"

有些女人还会说："你的爱我无以为报，我会用一生的友谊来偿还。"

……

但统统，这都不是偿还爱情的方式。

有很多因爱而成的怨偶，经不起对方的穷追猛打，没有爱的感觉，还是眼一闭牙一咬，答应了对方的求爱。原本以为确定关系便是对他最好的回报，殊不知，日后却遭到对方恨恨地怒骂："不爱我，为何要答应我？！与其可怜我施舍我，不如早一点说放弃！"

很多女孩子存在"拒绝障碍"：明明不爱他，面对他的好，她就是不敢说"NO"，既有不忍心，也有不舍得，总之滋味百种复杂万千。演变到最后，无外乎两种结局，一种是，既然享受了他的好，那只好委委屈屈做他的女友，但始终不是真爱，心内总不是那么畅快；另一种是最后忍不住还是拒绝了，因而惹得男孩发怒："不爱我为何不早一点说？！这岂不是要我！"

……

女人总有点以身报爱的心态。

可爱情只能用爱情来偿还。

如果你无法用爱情来偿还爱情，那就狠狠心，对他（她）绝情到底。

让他（她）死心，然后再去爱别人。

这是你能为一个爱你的人，最后做的事了。

虽然男人普遍不太喜欢清高的女人。
但一个女人的清高，莫不是为了让他看到。

清高，是为了让他看到

有些人是清高。有些人是为了清高而清高。

清高是一个人的性格，但女人的清高还是希望男人能看到的。

女人总觉得，男人的清高有可能是迂腐。

女人的清高一定会有身段。

有不少女孩，当了老板的小三。此后，她不是回香巢当起了金丝雀。这个时代的小三，通常有才有貌。但往往，也有更多的清高。

就像其中一个女孩子说的："发生了关系之后，他给我财物，许我职务，我统统拒绝。我就是要让他明白，我跟他是因为爱，不是因为谋钱财、争上位。"

不愿接受他的物质许诺，因为自尊。只有真爱一个男人，女人才会在乎自尊。

其实，那些礼物，收下，也没关系。

发生关系之后，当一个男人立马许你钱财职位，很显然，这不叫爱，这只是交换。

虽然女人清高之后，那个男人当然感激涕零，也会海誓山盟，甚至会咬牙切齿地发誓，立马回家离掉黄脸婆。

只是，男人始终说得多，做得少。婚外恋的男人都明了：一个不肯要钱的女人，想要的总会更多。

女人要了解，男人最大方的两个时刻是：

上床之前——为了得手，不惜重金砸开闺门。

上床之后——因为心虚，害怕女人会闹，赶紧许重金善后。

所以。

上床之前，男人怕遇上不爱钱的女人。有钱男人花点钱是最容易的事，其他的办法都太麻烦。

上床之后，男人乐得遇上不爱钱的女人。一个女人心里抱定了对他有深爱，那就绝不会让他太为难。

傻傻的女孩，傻傻地爱。

能让一个女人变傻，那只说明她真的爱上了。

所以，危险的游戏中，真正爱上的那个人，一定是会被踢出局的人。

也许，若干年后，他的心里，偶然间还能想起当年有那么个女孩，那么清高地爱他。

但那点点记忆，不过就是一缕微风的淡影。

你的清高，可以让他看到。

但你的清高，不要只是为了让他看到。

女人喜欢被追。女人含情的眼一定不肯望向身后那个追她的男人。
女人不爱追男。女人高傲的心一定时刻紧追着眼前那个不肯等她的男人。

回头遇见爱

女人虽然都喜欢被追。

但一个男人若总是在追着她走，她也只会瞧不起他。

女人都喜欢追着男人的脚步走。

那些肯跟在她后面的男人，通常是讨不到她的欢心的。

谁让，女人最喜欢的男人类型是：步子要大要快，又不能太大太快。要比她走得快，但又不至于让她追不上。

她心里对他有点小崇拜，但又明白——这点小距离又不足以构成他们之间的差距。

女人一生总在寻找这样一个男人。

但找到了这样一个男人之后，她会渐渐开始力不从心。

唉，一个男人，既然总不肯停下来等一个女人，也就注定了，你们的距离终将越拉越大。

无时无刻都走在你前面的男人，自我意识浓烈。

时时刻刻都随在你后面的男人，心里真的有你。

他让你走在前面，是因为他要时刻看你在眼里。

一个男人，眼里有你，心里才能有你。

往往在转身的一瞬间才忽而发现：

爱，就是因为回头看了一眼。

一个懂你的人，能带来一段彼此舒服的爱。

一个不懂你的人，最终会让你懂得一个道理：人生中，懂，比爱，更重要……

懂你还是爱你

有首老歌——《让懂你的人爱你》。

当歌里唱道："相爱不只是走进对方的生活，更要能走进彼此的生命。"

不少人听到这儿，泫然欲泣。

纵然情到浓时天雷地火，但"爱"的最高境界依然只一个"懂"字。

但关于"懂你还是爱你"？

往往，人会当成一道选择题来对待。

也往往，多数人会选择后者。他们认为：懂我不如爱我，起码后者能让我活得舒服。

其实真的未必。

生活中，时常看到的那些怨偶，不是因为不爱，而是因为不会爱。人世间，那些彼此折磨得最疼的男女，不是因为不爱，而是因为不懂。

恋爱后，女人自以为了解了男人。

失恋后，她才发现，之前的"了解"全是"误解"。

就像是。

男人觉得女人什么都不懂，女人觉得自己什么都懂。

男人觉得女人不懂自己的心，女人觉得那是因为男人不懂自己的苦心。

于是，两个人的世界里，懂比爱，更难做到。

懂你的人，会用你所需要的方式去爱你。

不懂你的人，会用他所需要的方式去爱你。

于是，懂你的人，常是事半功倍，他爱得自如，你受得幸福。

不懂你的人，常是事倍功半，他爱得吃力，你受得辛苦。

让那个能懂你的人爱你。

除此之外的任何人，纵然是千般讨好万般狂追，也咬紧牙关，轻易不要点头。

屈服于爱的女人很多。但大多屈服于爱的女人到最后都会懂得：

一个人若不能真正做到"懂你"，那他的爱，越深，越磨人……

PART 2

两个人的幽默

男人那点
心思
女人那点
心计

❋ 恋爱是什么？

也许，它只是男人的消遣，却令女人销魂不已。

两个人之间的游戏，因了彼此间的需求不同，也变得滋味百种。

世间的男人女人，爱中总有冲突：

女人愿意相信许多假的东西，因为若她不信，男人就会怀疑她是不是真的女人。

男人必须怀疑很多真的东西，因为若他不疑，女人就会怀疑他的智商是高是低。

婚前，女人都打算只嫁一次人。婚后，女人都犹豫该不该再试着嫁一次碰碰运气。

婚前，男人觉得可以多娶几次。婚后，男人都觉得娶一次已经嫌多。

女人喜欢一个男人，会对他动手，亦会对他动脚。

男人喜欢一个女人，只会对她动手动脚。

异性间的玩笑是调情，同性间的玩笑是调侃。

一男一女不论玩笑还是调情，都是情调；同性之间，调侃稍稍过火，便是灾祸。

男人都希望女人是个"童话"。女人更希望男人像个"神话"。

结果，"童话"撞上了"神话"，闹出的都是笑话。

……

男人女人就是这么好玩。貌似很严肃的男女，天天都在上演滑稽的戏码。

夜色中，几人欢笑，几人悲催……都不过是一段爱的故事。

而有关爱的故事，永远是日落后的主色调。

也许两个人之间多有战争，但两个人的战争，细细看来，也有会心的幽默。

情爱诱惑中，一身"制服"，能起到良好的催化效果。
恋爱问题上，一身"制服"，能让彼此爱得更跌宕起伏。

恋爱"制服效应"

最接近床的时候，男女间聊的话题离"床"越远。

生活理想，奋斗目标，世界观，人生观，价值观……聊着聊着，难免就聊到床上去了。

其实也没什么好奇怪。之所以聊得那么"伟大"，无不是树立自己的伟岸形象，为下一步行动打埋伏。那是丢给对方的信号："跟我这样的人发生点故事，你不吃亏。"

大千世界，形形色色的男女。真有缘分走到一起的，往往不见得是一开始就抱定"恋爱目的"去交往的。

就如同。

最易滋生暧昧的地方，不是欢场。欢场之中，不是暧昧，是生意。

最易滋生暧昧的地方，是职场。职场之中，生意之余，也难免谈出点暧昧。

人在聊到理想抱负雄心壮志的时候，体内的激素往往也是最膨胀的时候。这时，对异性才是致命的诱惑。

爱，需要装装正经。

人，总是在面对有价值的人时，才会有"情绪"发动一切感官系统去感知对方的曼妙美好。

所以，最高段的调情，调的不是"情"，是"情绪"。

而一个人，让对方提得起"情绪"，才搞得来"情爱"。

制服下的诱惑无人能挡。恋爱，也有"制服效应"。

人，总会对那些有职业风采、人生态度积极的异性倾注更多好感。因为，爱情的产生，总需要那么一点仰视的小小崇拜。

一个穿制服的男人，可以制伏她。

一个穿制服的女人，可以制伏他。

因为，那套衣服的背后，证明着你有身价。

虽然说"身价"总显得那么俗气，可谁让，人总是那么虚荣……

人人都有偏见。
人之所以有偏见，是因过高地估量了自己的价值。
生活久了，你的枕边人，会慢慢点拨你，到底是哪里出了问题？

女人教会男人的真相

不少哲人都承认：虽然人人反对偏见，人人又都有偏见。

女人最大的偏见是认为同性们都嫉妒自己。

男人最大的偏见是认为异性们都爱慕自己。

很有趣，人的偏见，往往都来源于对自我的高认知和高评估。

曾经大家总批评女人的孤影自怜 + 自恋，实则，如今自恋男也绝不在少数。

女人鄙夷的男人种类有很多，其中一种就是：自我感觉良好。

她们嬉笑他："等你光棍儿打久了，就知道自己的问题所在了！"

其实不会。

一个光棍男，只会纳闷："女人到底为何那么不开眼？"

缺乏女人的引导，男人在自我认知方面是会与事实有偏差的。

所以。

每个男人身边都该有个女人。

以女人为鉴，男人可以明得失。

女人是男人的一面镜子，她总有办法让他知道，他的本事比其他男人差多远。

男人都烦"爱装"的女人。男人也怕"不装"的女人。
一个女人，不肯在他面前"装"：要么是对他不感兴趣，要么是已死死吃定了他。

男女间最流行的"伪装"

男人通常都伪装坚强，女人一般都假装娇弱。

不信你看：

被多任女友甩了多次，被多个老板辞了多次，难道真的不伤心吗？

男人勒紧了裤腰带还在说："有什么大不了！"

被铁丝划破了手皮，难道会比割双眼皮疼吗？

前者女人会哭得让你心碎，后者女人只会笑笑，"一点都不疼"。

男人总爱在其他女人面前装男人。

在自家女人面前，通常只有到了去床上"例行公事"时才想起自己还是个男人。

女人总爱在恋爱之前装柔弱。

真正套牢男人后，她会同时解放二十年来隐藏的所有强悍！

婚前，男人女人都在伪装。不是为了骗谁，只是因为心虚而想让自己多儿分竞争力。

婚后，男人女人还会继续伪装，直装到让对方先露馅。那是为了证明，自己其实是被骗的那一方。

所以。

女人结婚之前，只想要一个老公，有了老公之后，她想要一切！

男人结婚之前，想要无数个老婆，有了老婆之后，他一个也不想要！

总有些女孩子装娇弱装得不耐烦，着急地说："那个男人，明明年纪已不小，怎么还不说娶我？"

呵呵，那只说明，演员被观众识破了演技。

男人都怕女人的"装"。

男人更怕女人"不装"。

当女人开始装，说明她盯上你了。

当女人开始不装了，意味着，你不得不娶她了。

爱上了一个女人，男人爱耍帅。
爱上了一个男人，女人爱装酷。
不过，装到最后，谁都希望对方快点露馅，因为，装，也是很累的工作。

男人"装"，女人"装"

有很多男人女人，会错过心爱的对象。

因为面对爱情，男人女人，普遍爱"装"。

两个男人在侧，女人跟其中一个聊得热络而冷落另外一个，有可能是一种试验："那个被我冷落的男人，对此有什么感受？我不理他，他会主动理我吗？该死的家伙，大男人还需要这么爱面子吗？还是他对我压根儿没有意思？"

女人真喜欢一个男人，通常不太好意思主动跟他说太多话。女人心里隐隐地认为：对男人的主动，会让女人陷入被动。

而一个女人在想到这个问题的时候，就已然动心了。

男人则不同。

一旦爱来了电，通常男人会变得口若悬河。

也许之前他压根不想多谈，只要一个风情楚楚的异性来到了面前，立刻能调动他的语言神经。

当男人变得话多，是他心动了。

尤其，当有个他认为还不错的女人在场时，男人会变得不像他自己：风趣幽默，搜肠刮肚说平日看到的所有有趣无趣的段子；大方潇洒，会主动叫来服务生埋单；善良慷慨，会难得地掏出五元以上的钞票给街边的乞讨儿童。

虽然女人也明白这是男人在"装"，但一个男人肯为她装绅士，女人也颇有成就感。

男人女人，都在"装"。

一个男人，忍受女人装冷酷的时间不会太长。只要他丢一个温柔的眼神，她自会全线溃退。

一个女人，能享受男人装绅士也不会太长。只要她开始向他丢去温柔的眼神，他自会觉得可功成身退了。

人人都知道世间是有"善意谎言"这一说。
可"善意谎言"到底是什么？
就比如，太太购物归来，给丈夫报账时所说的话。

20% 的谎言

有这样一个有趣的统计：女人为自己买的衣服，其真实价格往往比告诉丈夫的要贵 20%。

因为，不管收入多么丰厚的丈夫，也总觉得妻子买的衣服实在太多了；但不论有多少衣服的妻子，也总觉得自己衣柜里的货品不够丰富。

于是，为了不断添货，又不引起与丈夫的矛盾纠纷，妻子们会小小撒个谎，遮瞒下真实的价格。

最有趣的是 20% 这个数字。

为何不是更少，比如 10%？

为何不是更多，比如 30%？

那是因为，20%，在一个说谎者的心目中，是介于"谎言"和"真实"的中间值。

10% 的谎言，不如不撒。数目太小，不值得女人为此在丈夫面前做一回骗子。

30% 的谎言，又略略嫌多。一旦上升到"3"字头，人的道德底线会拉响警报。即便是善意的谎言，同样也会面临良心的压力。

所以，女人最爱撒 20% 的谎，因为负担不大、效果不差：少报了 20% 的价钱，男人对太太这件新衣的价钱会少 20% 的敌视；但少报了 20% 的价钱，女人心里也不会把这当成是欺骗。

人生的谎言有很多种。最会撒谎的人，永远只会篡改其中 20% 的真相。因为，良心面前，他无太大压力，对面那个被欺骗的人，也不会有太多损失。

生活有时是如此。不见得非得一切坦白，重要的是，有些不重要的细节，可以稍事美化。如此，你会获得更多的支持率。

而这 20%，也可不叫谎言，姑且称之为"给真相化个妆"吧。

男人沉默了，说明是想说真话了。
女人沉默了，说明是想编瞎话了。
男人女人一张嘴，个中真心截然不同。

沉默的测谎仪

有个形容男人的词——沉默是金。

真真是好词。

男人一沉默，便是真金现真身。

男人一开口，真金也能变镀金。

虽然女人都爱妙语生花的男人。但妙语生花的男人，也总让女人心慌慌意惴惴。

太能说的男人，女人不敢太信。

不过，"沉默是金"，不适合形容女人。

男人女人的沉默，是两条悬殊的路径。

男人的沉默，往往是表达"真实"的途径。

女人的沉默，常常是编造"谎言"的方式。

当面对女人的追问，男人沉默不语，通常，这就是默认。

当面对男人的质疑，女人闭口不言，代表，这事情有假。

比之于男人，女人是绝不肯在嘴巴上吃亏的物种。

她若甘心闭上嘴巴，往往藏有更大的玄机！

所以。

不要轻信男人张着嘴的时候。

不要相信女人闭着嘴的时候。

男人女人，各有各的生存法则。

如果你说"恋爱中的女人最温柔"。
要么是你不了解女人。要么是这个温柔的女人没有真正进入恋爱。
千真万确，恋爱中的女人，很凶很暴力！

暴力代表温柔女人心

形容小夫妻感情好，吵吵闹闹更恩爱，大家爱说"打是亲，骂是爱"。

这其实只适合女人。

女人喜欢一个男人，会对他动手，亦会对他动脚。

男人喜欢一个女人，只会对她动手动脚。

女人的爱总带有"暴力"的色彩。施暴于人，施暴于己。拳打脚踢越显亲热。

男人的暴力则跟爱没有太直接的关系，那只是为了宣泄一种既强烈又不确定的占有欲。

男人都喜欢温柔的女人。

女人的温柔，常常只是一种"恋爱准备状态"。她就好似一个垂钓者，温柔地看着水中的鱼儿，心里念叨："咬钩了，咬钩了。"

一旦真正咬了钩，她立马狠狠一搜。鱼儿猝不及防。大概，每条鱼被拖上岸，想的最后一件事是：原来温柔是陷阱。

女人的温柔，不全是陷阱。女人的温柔，也是自信。

没追到手之前，男人觉得这世上哪个女人都挺温柔。

追到手之后，女人会让男人明白，温柔只是个传说。

再温柔的女人，一旦恋爱，也总会有不温柔的一面暴露出来。

她心里总有恐惧，恐惧爱情会过于轻易地离开。

很奇怪，人表达恐惧的办法，总是通过"暴力"。

当一个人开始变得躁狂。

透过他凌厉的眼神，可以望见，他的内心，是多么无助……

淑女都爱绅士。
绅士不见得都爱淑女。
不论绅士还是非绅士，显然都更爱女人"open"点！

别对"绅士"想太多

提到"魅力"，女人想到的是胸怀，男人想到的是胸部。

提到"定力"，女人想到的是柳下惠，男人想到的是苍井空。

提到"魄力"，女人想到的是男人的指点江山，男人想到的是可以对女人指指点点。

提到"体力"，女人想到的是心肝肺脾肾，男人想到的是成人用品。

提到"能力"，女人想到的是奔驰上的绅士，男人想到的是总统套房里的尤物。

……

情感的世界里，女人追求的是归属性，男人更多地体现动物性。征服感，掠夺感，释放感……是每个男人心底的蠢蠢欲动。

淑女都喜欢绅士，非淑女们大概也不讨厌绅士。

我们所见到的绅士，八成以上是装出来的。

装绅士的男人，人人都在期待"可以不绅士"的那一刻。

虽然淑女们也并不是智力滞后到不懂人情世故。

淑女们只不过喜欢，男人用"更绅士的手法"做"不绅士的事"。

淑女们，对"绅士"，你们想太多了！

越是在外小有成就的男人，天天一本正经扮高雅，累了，压抑了，越是渴望情感释放上的原始感。

高知淑女给予异性的，是优雅的仪态，中规中矩的规范性，这种种素质调动的其实是男人的一种"工作状态"，而非"情感状态"。

不少男人直言，"淑女追求一切高端的生活，我只想谈一场低端点的恋爱"！

女人总把男人想得风花雪月，男人却总渴望女人能更情色香艳。

不论多么死正经的男人，都会有死不正经的另一面。

不得不承认：越开放的女人，越能让男人放得开。

男人女人都会逢场作戏。
只有女人容易把"戏"当成"真"。
入戏太深，女人分不清了"梦"与"幻"。
更看不懂，男人殷勤的背后，有多少虚荣的冲动。

调情，男人最爱的虚荣

很多女人都明白：一旦被他追到了手，他不会再像之前那样对自己蜜里调油。

更多女人会愤愤不平：明明有了女人的男人，却更爱对其他女人轻声密语。

不仅仅是因为到手后就不再珍惜，而是一个男人的魅力，需要用"女人"来证明。

有这样的现象：

男人女人，其实都爱跟异性聊天。越在人多的场合下越是如此。

两个人聊得热火朝天亲密无间，分开后未必不会说一句："真是个无聊的人！"

可是，众人在侧的境况下，有异性在旁，你依旧愿意与他（她）面带喜色地谈笑。

男人对女人的亲密，也是一种虚荣。

这是证明自身魅力的好机会。

就像是孩子，当着小朋友的面偏要问爸妈："咱们是这周去迪士尼吧？"

还像是父母，越到人前越故意要问女儿："你给我买的鞋子多少钱来着？"

更像是老婆，偏要在姐妹面前打电话问老公："咱们蜜月是去希腊还是巴黎？"

……

有些话，只有人前说出来，才最有面子。

男人女人都讲"逢场作戏"。

什么叫"逢场作戏"？

那是：有人看着的时候，要笑，还要笑得好看；要说，更要说得好听。

所以女孩子，当身处人潮，有个把男人对你无端殷勤，暂且，保持状态，不必心动得太快！

旁人在侧的时候，一定不是那个男人，最真实的状态。

之前有这样的话：
上床之前，男人用下半身思考，女人用上半身思考。
上床之后，男人用上半身思考，女人用下半身思考。
看来，男人女人心态的转折点，都在床上。

你为何遇人不淑

有些时候，男人女人之间的吸引力，在床下。这是精神上的知己，可以聊心里话。

有些时候，男人女人之间的吸引力，在床上。这是欲望上的吸引，是物种间的原始冲动。

我们不过分美化第一种吸引力，也不过分否定第二种吸引力。

一男一女，只要是有"吸引力"，就总有他们的魅力所在。

有那么些女人，能让男人在某一个场所中离不开她，或是书房，或是卧房。

可是常听一些男人说："美女虽迷人，我更爱相貌普通的平凡女孩，因为美女总是太高傲，不论床下还是床上。"

有女孩子屡屡抱怨自己遇人不淑："我是抱着交往的目的与他们上床，可他们一旦上床后就立即跟我说'拜拜'！"

真的仅仅是遇人不淑吗？

要知道，男人如果真想玩弄一个女人，基本都愿意把自己能得的利益最大化，也就是说，最好把"新鲜感"占个够，男人想娶一个女人，才会关心她是不是处女，在还没打算跟她领证之前，男人是愿意多搂这姑娘几回的！

几任男友，每次都是上床之后说分手。貌似一团谜，其实细究起来不过两种可能性：

或者，她喜欢的男人从来都是玩世不恭的猎人型。一旦得手，不再有兴趣。

或者，她从来不会让男人得到真正的尊严感。很多男人把上床当成是征服女人的最后一条途径，可就是有些高傲的女人，不论哪个瞬间，哪怕是私密瞬间，都能让男人泄气到底！

与之相反，有些女人，人前粗枝大叶，你说她像男人婆。她身边，依旧有个男人对她死心塌地。别觉得不理解。恰恰说明，这个"男人婆"，在某些私密的瞬间，具有某种非凡的女人味。这种女人味，则是一颦一笑一嗔一怒，说女人是水，不单单指柔情，更指女人的变化性，若不同的场所都有不同的滋味，才是女人魅力的极致。表里如一、处处如一的女人，最难受宠。

所以，当两个人独处时，美女，卸下妆容，更要卸下高傲。

男人都喜欢跟"上床容易"的女人交往。
男人却喜欢跟"上床不易"的女人谈婚论嫁。
上床的难度有多大，是男人评判女人标准的重要尺码。

上床的路有多远

女人眼里，这个世界的男人已经无药可救了。
放肆的男人越来越多，一开口便提开房间的男人也越来越多。
"女人恋爱的目的是结婚，男人恋爱的目的就是上床！"

可是姑娘们，这世上男人，绝不是人人都不懂克制。
想让男人有耐心，女人得有资本。

有个小伙跟女友便只懂得"牵手约会、分手吻别"，从不敢聊"过夜"之类的辣话，生怕一个不小心，被女友骂"低级"！周围的哥们儿骂他没骨气，他反驳："人家老爹身家几亿，这样的钻石女，乱来是要添乱的！"

可见。
女人的嫁妆越多，男人上床越麻烦。
男人的婚资越多，女人上床越容易。

曾经，床，是感情的试金石。
如今，床，是财富的试金石。

所以，约会时，若那个男人一上来便跟你动手动脚。
头也别回，赶紧离开。
或者说，那是个色鬼；或者说，他没把你当回事儿。
让男人敢肆无忌惮地跟你开荤，说明你身上少了点压得住他的本事。

一个男人真对一个女人有意思，不会太轻易地邀她回家。
他会带她去公园、影院、餐厅等公共场所。
越在乎一个人时，男人越会学得保守，生怕自己的唐突会吓坏了美人。

女人总抱怨:"那些男人一见面就跟我提开房,一点也不尊重我!"

嘘。这话今后还是少说吧。

一个男人随随便便就敢跟一个女人聊"开房"——你这不是变向地贬了自己?!

男人最爱拐女人上床。

达成目的之后,女人会追着男人要婚姻,男人会躲着逃避婚姻。

女人大骂男人"不负责任"。

可从男人的动物性来看,即便是负责任的男人,也越来越不愿把"上床"和"结婚"之间画等号。

床不床,娶不娶

恋爱,是男人的消遣,却令女人销魂不已。

不过,当下的社会里,销魂的恋爱,却也越来越令女人提心吊胆了。

曾经,谈恋爱的步骤是:先拉手再接吻,看上几十场电影感觉还不错,再商量上床的事儿。

如今,男人最喜欢的谈恋爱步骤是:先上床,如果感觉不错,再谈接吻拉手看电影的事儿。

男人一向都是直线动物，先前可以拿出更多的时间陪女人浪漫，是因为社会舆论环境所限，迫不得已地"规矩"；现如今各种开放式文化浪潮之下，越来越多的规矩被打破，男人顺理成章地越发没耐心。于是，直奔床上的男人多了起来。

女人跟男人不同点在于：

女人没考虑好是否要嫁给一个男人，通常不愿跟他发生关系；

男人即便没考虑过要娶一个女人，通常也愿意先跟她发生关系。

人们总说：女人具有双重性，女人的心态总是格外分裂。忽而天使，忽而魔鬼。

实际上在情爱问题上，男人比女人更分裂得有过之而无不及。

男人总说自己更喜欢那些有原则有操守不会轻易被拐带上床的女人，但真面对一个这样的女人，男人只会软磨硬泡死缠烂打。试问，男人如此地不择手段，女人如何还能正气凛然？

其实，床不床，跟娶不娶没什么关系。

一个男人，会不会娶一个女人，往往从一开始就打算好了。之后，所有一切的交往，都不过是在为"分"和"合"寻找论证点。

女人们，若一个男人交往两三年还屡屡回避婚姻问题——你可以朝着最好的方向去努力，但切记，也做好最坏的打算吧。

女人觉得男人都爱有品位的女人。
于是女人都希望成为有品位的女人。
成为了有品位的女人之后，她发现，男人的眼神依旧还是游走在她的胸部……

啼笑皆非的男式幽默

某次聚会，聊到富豪征婚，席间某友在给大家讲一个笑话。也是关于富豪讨老婆。

某富翁要在三个漂亮女孩中挑选一个做自己的老婆。于是他分别给了这三位美女等额的一大笔钱，看看她们怎么花：第一位美女，把所有的钱买成了名包靓装；第二位美女，用钱买了一套房子；第三位美女，把这笔钱存起来一半，另外一半给自己和富翁的父母各买了礼物。

故事讲到这儿，朋友戛然而止，问大家："你们猜富翁选了谁？"

某女说："肯定第三位喽，孝敬老人又懂得俭省。"

某男说："肯定选第二位美女，有投资眼光，房产既保值又升值！绝对的贤内助！"

又某女说："我觉得选第一位，富翁有钱，且多数富翁有空挣钱没空花钱，该找个会帮他花钱的女人！"

……

讲故事的人笑得诡异，好像早猜定了大家一定都错，最后才老谋深算地公布答案："富翁选了胸最大的那一个。"

带色的幽默。典型的雄性答案。

虽然有时男人也会说："女人漂不漂亮真的不重要。关键是个性要好。"

说这话的男人，八成是刚在美女那里摔过跟头。不过别担心，若下一次，一个美女和一个丑女同时向他招手，他还是会不由自主地奔向那美丽的怀抱……不论用什么样的伪装，到了最后拍板定案的那一刻，男人还是会用行动证明他的性别。

女人总反感男人用下半身思考。

殊不知，"用下半身思考的男人"选择婚姻的速度明显要比"用上半身思考的男人"快！

男人比女人，更俗更直白。

因此，如果你还未婚，且这辈子还想婚，那么，在男人面前，把自己搞得性感点。

女人一性感，男人就感性。

唯有让男人感性起来，女人才能更顺利地把他拖进婚姻。

所以，做一个有魅力的女人，关键在于：她会让他想她，但不会让他想得太多。

女人总说搞不懂男人在想什么。

想搞懂一个男人，照着最简单的路子走，一定没错！

女人都希望男人"man"一点。
实则男人都太"闷"一点。
也许，"闷"也是"man"的表现形式吧。

先生闷不闷

"你想找个什么样的男人结婚？"

女人都会抢答："当然想找个够 man 的男人啦！"

女人总说喜欢男人"man"一点。

直观一点去理解，所谓 man，就是话不多，极有范儿，酷。

结婚前，男人的闷，女人会觉得很 man。

结婚后，男人即便很 man，女人也会觉得他实在太闷。

美国的精神病学家斯科特·海泽曼研究发现：结婚会让男人变得沉默。结婚后的日常会话中，女性平均每天使用 7000 个词、5 种语调，而男性平均每天只使用 2000 个词、3 种语调。

男人在婚姻中，话越来越少，其实这也是男人的一种压力。

在现代，男人的讲话，越来越像是一种追求女人的手段，一旦爱人到手，男人统统闭口。

婚姻让男人变得沉默，因为婚姻让女人变得越发情绪化。面对喋喋不休的太太，男人唯一能做的就是——自己少说两句。

可孰不知，他说得越少，她越要说更多来逼他开口。

这就是婚姻，争得最多的，是嘴上的输赢。

此外，很有意思的是：如果把"man"当成是中文拼音，电脑上第一个闪出的字是"慢"。

一个"慢"字，把已婚男人的真相说得淋漓：老婆的表情，他领会得慢一点；老婆的命令，他执行得慢一点；老婆的哭闹，他安慰得慢一点；老婆的盘问，他也总是交代得慢一点……

让一个男人慢了下来，固然是激情开始消退的符号。但更重要的是，慢一点去应对女人的情绪，是男人的一种自我保护——谁让他实在摸不清楚她的真实意图。

如果问：婚姻教会了男人什么？

那也只有与老婆过招时的迂回和狡猾。

在"信"字理解方面，中国人有性别差异：大丈夫要一言九鼎，小女子可言不必实。
很多女人仗着自己"小女子"的身份，常常言语造假。
可一个失去了婚姻诚信的女人，渐渐地，总会失去老公的心……

诱供有风险

隐隐察觉了老公的暧昧，相信很多女人都干过这样的事："你告诉我实话吧。我保证不生气。保证原谅你。"

说这话的时候，女人通常一脸诚恳，略带着忠厚可靠的笑容。

总有些经验不丰富的老公们因此上套了。

"是的，我是有点喜欢她。"

……

接下来，无一例外，是女人的勃然大怒。

太太们最擅用的一招是诱供。

不论想任何办法，她都要听到她想的真相。

男人委屈："说好不生气的！"

女人申辩："这要还不生气，我还算是你老婆吗？"

女人的诱供，其实只能用一次，做老公的男人，即便记性再差，也不会忘了：上一次老婆是怎么坑骗了我。

所以，面对男人的新动向，太太们，虽然你愤恨他的花心，生气他的不信任……但即便你能找出一万条理由，在这个时候、在你"说好不生气"的时候，你真的应该说到做到，忍下这口怒火！

婚姻也讲"信用制"，一个人婚姻中的信誉良好，自然会获得对方更多的尊重。这也是增强对方对你依恋的砝码。即便你真的很愤怒，但至少不应该在当时发出那口恶气。对付男人就像对付孩子：先用好话哄回来，等过了这股劲儿，再想清理门户的事。

总有些男人说："唯有家外那个红颜，是我的知己，唯有她，能让我毫无顾忌地对她讲真话。"

太太们不服："少为你的花心找借口吧！"

其实不全是借口。

男人就是不敢跟老婆讲太多实话。实话一旦说出口，谁都料不到会是怎样的结局。

女人都说"我可以不计较"。但天下真正能做到"不计较"的女人，恐怕一个也无。

暂时忍下一口气，不是不让你计较，而是让你学会"计较"。

男人犯了规，不是不罚，而是要缓罚。

立刻就打罚，会激起他的逆反心。缓缓再做惩罚，随着时间的进展，会发酵起他的负疚感，这时候再对他来点惩罚，真可谓事半功倍。

婚姻中，该出手的时候也要慢出手。

初次见异性，别聊得太随便，更别聊得太随意。
有些随便又随意的话，聊完之后，保准你见不到他第二面了。

初次见面聊点啥

初次见面聊点什么？

保守的英国人聊天气。

不得罪人。安全。

不过在中国，天气预报比女人的心还难捉摸。爱聊天气的人，往往比天气还不靠谱。

不少女人困惑，跟一个异性初次见面，该聊点什么呢？

聊点什么话题，能让自己在他心目中的印象加分呢？

先不说该聊点什么。先来看看不该聊点什么。

别轻易聊物价。

你若评论物价太高，会让男人觉得你心态悲观；你若评论物价不高，会让男人觉得养不起你。

别轻易聊社交。

女人说起自己的"社会关系"，对面的男人只会联想到一堆"男女关系"。

别轻易聊人生。

跟生人聊人生，基本属互相勾引。跟女人聊人生是男人泡妞的专利，你主动跟他聊，会让他觉得你这妞太容易泡。

别轻易聊父母。

聊起父母，难免给人以隐隐逼婚的意味。裤腰带上拴着父母的男女，婚得总是更晚。

别轻易聊"前任"。

不论你之前有过多少"前关系"，初次见面，至少给对方留点面子，让他以为你几乎算是"原装"。

别轻易聊"老板"。

老板若对你不好，会让他觉得你工作上没前途；老板若对你太好，会让他觉得自己跟你的未来没前途。

别轻易聊真心。

女人的真心，到了最后一刻，也不应对他彻底坦白。能让一个人放不下，一定是他拥有不了。

别轻易聊理想。

否则你有可能会得到一个朋友。但也有可能失去一个男朋友。

……

聊点新闻，谈点八卦。见面之前浏览下网页，什么都聊点，但别聊得太深。

因为，你不知道他真正的兴趣在哪里。

如果不对胃口，聊得越多，失分越多。

女人都想成为男人眼中的焦点。
男人却都害怕被女人过分关注。
男人的逆反，是女人盯他盯得太紧。

男人都怕"盯人女"

爱，是由"关注"开始的。

爱的一开始，是——她看他，他看她。

爱到了后来，则是——她看他，他躲她。

追到她之后，他的目光开始望向四周，之前，他的满眼满心全是她。

被他追到之后，她开始满眼满心全是他，之前，她的眼神常常停留在其他人身上。

所以，男人的执著、女人的游离，给了对方错觉：她认为他是专心的，他认为她是洒脱的。结果是他们都错了。

男人，总怕被女人盯太紧。因为她专注的目光落在他身上，只让他觉得烫得慌！

可是女人享受这种滚烫，觉得两个人的世界，就该风风火火。

由此，衍生出女人的另一种心态：迟迟不愿生儿育女的女人越来越多。

除了经济压力、时间压力、身材压力之外，还有女人的另外一点私心——"我不希望，这么快就有人来分享他的爱。哪怕是我们的孩子。"

虽然女人说，孩子，是婚姻中的"第三者"。

但女人，你若不能给他一个孩子，他就会给你一个情敌。

因为男人害怕女人的过分关注。当她过于热切地望着他，他总要想尽办法分散她的注意力。

所以聪明的女人，一是懂得自己满足自己的要求；二是从不跟他提要求。

这世上，没有什么物种比男人更渴望自由。

好男人总是羡慕坏男人，因为坏男人，可以理所当然地不受任何人的约束。

越来越多的男人恐婚，甚至有人说：女人的求婚时代已然来临。

那是因为，循着女人的眼神，男人看到了绳索。

女人，你说"男人不坏我不爱"。

可是，你首先要搞懂男人那颗渴望"变坏"的心。

爱情让女人做疯狂的事。
女人所有的疯狂，最终都会反作用到自己的身上。

疯狂的代价

女孩讲述自己三段被甩的恋情：

"第一任男友，帅气潇洒，自在随性。相处两个月，刚刚有了肌肤之亲，便头也不回地跟我说'拜拜'。"

"第二任男友，也帅气潇洒，也自在随性。也是相处了小半年，得到了我的身体，便开始冷落，逼我说了'拜拜'。"

"第三任男友，更帅气潇洒，更自在随性。至今相处了才月余，刚刚发展到'床阶段'，又开始对我讲'其实咱俩也不太合适'……"

最后这个女孩问："为什么天下薄情水性的男人都让我遇到了？"

……

我无奈地摇头：谁让你的口味一直没变过？

爱因斯坦说：疯狂就是一再重复相同的事情，却期望得到不同的结果。

女人的疯狂是，总在爱上同一类男人，却期望他们给自己写出各不相同的结果。

其实初恋之后的每一次恋爱，女人似乎都是致力于寻找初恋情人的升级版本：既要相似，又不能趋同。感觉上要相似，条件上要更强。

所以，初恋不顺的女人一路不顺。

对恋爱而言，有个什么样的开头，往往决定一生的情路走向。

女人们，在做这些疯狂的事之前，要考虑好接受最终那个疯狂的代价！

恋爱中，男人女人爱"装笨"。
装笨是一种智慧，也是一份私心。
面对事实，装作不知道，可以让人活得更快乐些……

假装爱上你

"那女人真笨，男人明明不爱她，谁都看得出来，就她看不出来！"

"那男人真笨，女人明明是为了钱才跟他，竟看不出，还把她当宝贝！"

生活的周围，大家私下里常常爱打诸如此类的"抱不平"。

通常，这被称之为"当局者迷，旁观者清"。

其实。

再笨的女人也能一眼看透对面的男人是不是真的爱她。

再蠢的男人也能了解对面的女人是为了钱还是为了爱而跟他。

只是，很多时候，我们不愿去拆穿对方，是因为，那种"好像有爱"的感觉也不错。

一个人为了骗你而爱你，至少，他（她）能让你活得舒服。

一个人愿意装傻，接受这份被欺骗的爱，说明，舒服地享受快乐，那感觉真的不错。

当局者，未必迷。

只是大多数时候，假装迷糊，是因为还没找好下一步的出路。

女人天天琢磨男人在想些什么。
等琢磨明白了，她会大呼"上当"：被这男人骗了！
实则，感觉"上当"的可不只有女人。
只是，男人会用更豁达的心态去对待"上当"这回事儿。

总是迟一步才懂的真相

男人都有"大男人情结"，所以总是容易爱上跟他诉苦的女人。

确定了恋爱关系之后，她会让他明白：一个爱诉苦的女人，自有本事让"大男人"变成"小男人"。

男人都不会太爱那个对他太好的女人，为了自己的舒服，他会娶她。

恋爱关系深入之后，他会渐渐明白：女人对男人的好，多半是种投资，投到一定数额之后，她开始要求更丰厚的回报。

男人都渴望拥有红颜知己，但几乎没有男人有那种自制力，可以不把红颜知己变成情人。

也只有关系变质后他才会明白：友情可以让笨女人都保持智慧的知性，爱情可以让智慧女人变得笨傻。不论什么样的红颜，一旦成了情人，便不可能再是知己。

男人的人生理想是有钱、有后。男人喜欢的女人要"有前有后"。

面对这两条理想，很多男人会双管齐下，但只有过来人会明白：想得到"有前有后"的女人，男人得等到有钱之后。

男人都希望女人是个"童话"。女人更希望男人像个"神话"。
"童话"撞上了"神话"，闹出的都是笑话。

……

爱有很多真相，不近到一定程度，你看不明白它的真面目。当
等男人明白了以上这些，想说"后悔"已然来不及了。

不过没关系，生活还会继续。

PART 3

人性的规律

男人那点
心思
女人那点
心计

❀ 人性是什么？

当你费尽心机得到了某样东西后，突然发现这不是你想要的。

这就是人性了。

人性的背后，总有些或这样、或那样的欲望。

生活中，大家以对方的"人性如何"来作为是否与之交友、交往的判断依据。总觉得
一个人的人性是种固定的物质，一旦养成，不再更改。

实则相反。

天使也有魔鬼的一面。魔鬼也可如天使般柔软。

让人性转化的前提是：人的眼前，遇到了什么。

人性的善与恶，总是紧紧纠缠在一起，密不可分。

邪恶，是因为人们想要更好地保护自己。

贪婪，是因为人们想要更好地去生活。

功利，是因为人们想要更好地获得尊重。

……

每一份恶的人性背后，总有一份善的出发点。

这就是人性，跟人生最矛盾的冲突。

然而，人性，依然无处不在。

也许你伤心地流泪，自己错过了心头的至爱。

也许你彷徨地蹙眉，自己陷入了人生的泥潭。

也许你快乐地大笑，自己圆满了多年的夙愿。

也许你会心地点头，自己通透了人间的世故。

……

这一切的背后，人性的规则，都在静静地注视着你。

它总在监视你，并且适时地给予好或不好的助力。

人性，不见得会帮你走得更顺畅。尤其，当你已然把控不住自己内心的
时候。

当然，人，要是任性了，就渐渐失却了"人性"的优势了。

从小时候起，就开始学习"珍惜时间"。
但风华正茂之际，人们只会拿时间去开玩笑。
真正珍惜时间的人，都是被时间逼到了人生晚途的人。
到了那时，与时间的玩笑，你已然无心去开了……

时间的玩笑

二十出头时，每个人心底都有一份对未来的猖狂。

跟相亲对象约好两点钟，却接近两点半才到。她不认为这有多大的问题："多等二十分钟会死啊！除非他没诚意！"

明明有家不错的公司约好了面试，因为要睡周末觉误了钟点。她不觉得太可惜："反正下次还有机会。"

跟朋友约好了去看电影，突然临时改变主意去逛街。她也不觉得抱歉："没有我，他们也是一样地看。"

于是，在她迟到、在她误点、在她爽约时，相亲对象、招聘公司、好朋友，会给她打电话："到哪儿了？快到了吗？"

有时她高兴，电话敷衍几句。有时不高兴，干脆关机！

时间渐渐往前流逝，十年、二十年，人学会了活得小心翼翼。

她早早到了相亲地点，对方却迟迟未到。

她起个大早赶去应聘，在公交车上突然接到一通电话："抱歉，我们的职位已经招满了。"

她推掉了工作想跟老友们好好聚聚，老友却因为要带孩子上兴趣班放了她鸽子。

......

少不更事时，你和时间开玩笑，它却对你很认真。

年事渐长时，你很认真地对待时间，它却开始跟你开玩笑。

年轻时，我们从来不会郑重地对待时间。

年老时，我们知道，时间再也不会郑重地对待我们了。

时间，是一切的答案。

有机会的时候，尽量牢牢去抓住。

时间最狡猾。

它总在年轻时给你最多的机会，因为它知道，大多数，你抓不住。

每个人都无可避免地会遇上"27岁定律",那是无可抗拒的生理曲线。

27岁这年,你过得好不好?

27岁之后,你准备好没有?

爱恨不能的 27 岁

有这样的科学统计:

女人一生美丽的巅峰是在27岁,此后,美丽的容貌状态便开始呈现逐渐递减的态势。

男人一生魅力的开始是在27岁,此后,之前的幼稚慢慢退却,成熟气质开始占领高地。

这就是让男人女人又爱又恨的"27岁定律"。

从生理角度看,女人的成熟要早于男人,通常一个女人在25岁左右,对新奇的服饰妆容兴趣开始降低,开始厌烦无规律的夜生活,并且会向往婚姻。男人从27岁开始,才会慢慢开始想到结束之前一些幼稚且无规律的生活习惯,但也仅仅只是开始,他们的真正成长,还是要等到婚后孩子的出生,才慢慢懂得承担更多责任,丢弃更多不良生活习惯。男人,通常会从男孩直接长成父亲,不止是心智方面的成熟,男人比女人要晚。事业方面更是如此。

在事业成就方面,男人的成功总体要比女人晚十年。很多女孩甫一出校门,便能够找到相对光鲜的职业。男人往往要年近三十岁、退去了青涩之后,好的职业机会才会垂青于他。

生活中,很多年龄相仿的情侣,从学校里便开始了恋情,但往

往都熬不过 27 岁，很多女人会选择在 27 岁时跟男友说分手，他让
她看不到未来，她已然不能再等。尤其，28 岁，对女人，意味着衰
老的开始。女人觉得自己在青春的底线时作了个正确的选择，但之
后的现实往往朝着她意外的方向发展：27 岁后，被她甩掉的那个男
人会越来越出色；27 岁后，原本出色的她却开始越来越贬值……其
实，如果她再耐心一点，那个男人终究不会让她太失望……但，女
人，熬不过 27 岁这道坎，便也跟幸福有了第一次的擦肩。

对于每个人而言，27 岁，都是魔鬼的 27 岁。

人从 27 岁开始，推理能力、空间想象力、认知能力、思维速
度……都开始呈现衰退态势。

尤其是女人，要比男人更惧怕"27 岁定律"，单从外貌上看，
便已经"青春颓势无可挽留"了……27 岁后，女人想找到比之前
更好的男人，除了能力，更得靠运气了。

对男人而言，生活比生命现实。

对女人而言，生理比生活残酷。

"姑娘你芳龄多少？"

如果你答："我 27 岁。"

那么，接下来，我要说："享受 27 岁这一年。而后，更加清醒
地去过现实生活吧。"

古往今来，才女似乎注定薄命。
女人的薄命，跟"命"没多大关系。所谓"命运"，不过是掩饰欲望的借口……

"才情"一遇误终身

才女，似乎都逃不开落寞的宿命。

古往今来有才情的女人，似乎注定了姻缘不顺。

谁都说不明白是为什么，大概是老天爱搞恶作剧吧。

关于这条玄秘的规矩，也偶有人对我说起——或调侃，或隐忧。

哈哈一笑。不去理他。

落寞的宿命，还不都是女人太贪心？

感情要想有所得，不能太"贪"，贪情总会引来无情。

人生要想有所成，不能太"贪"，贪念越多，限制越多。

可惜，有点才情的女人，常常活得不幸福。

皆因，才情，是女人寻求成功的本钱，由着此，她想要一切。

但男人不这么认为，他们对女人的评价机制中，才情，总是排在中间靠后的位置。在才情的前面，相貌，个性，生活能力……牢牢占据着位置。

关于这个问题，问过不少男士：

"如果一个女人，有才情但相貌不佳，你会娶吗？"

他们犹豫："考虑考虑吧。"

"如果一个女人，有才情但性格不好，你会娶吗？"

他们不再犹豫："不会。"

"如果一个女人，有才情但生活能力极差，你会娶吗？"

他们更不犹豫："肯定不会。"

……

女人总是自视过高，这个"高"，不是指"名不副实"，而是指不同人对于"优秀"的理解不同。

女人眼里，一个优秀的自己是：事业成功，才财俱全，气质不俗，理想蓬勃，懂诗懂画……

男人眼里，一个优秀的女人是：正青春妖冶，怡风情性感。

女人的才情，在男人看来，就是锦上添的那朵花。有它，固然更美，无它，也不妨碍大局。

关键是，女人，别总把才情当成是获得生活成功的必杀技。

至此，不必再提宿命。

宿命啊宿命。

那只是贪心之人最老套的借口。

一个女人，没躲开宿命的游戏。不是什么值得怜惜的事情。

楚楚怜人的背后，藏着多少欲望的悲剧⋯⋯

诱惑的背后，是身价的象征。
人们最爱说：我不是没遇到诱惑，只是拒绝了诱惑。
既保了面子，又保了品质。
话是容易说，真到了生活中，有几个人能甘心地回绝诱惑呢？

诱惑透射人性价码

不论男人女人，都恨身边那个人经受不起诱惑的考验。

经受不起诱惑的考验，通常，大家认为那是人品问题。

其实，诱惑找上门，说明他有价值。

一个人受到的诱惑有多大，说明他的身价有多高。

实践证明，很少有人能经受得起诱惑。

那是人性中隐隐的虚荣。

当异性对你示好，哪怕你不爱他（她），哪怕你名花名草早有主，第一反应，始终是心跳漏了半拍，且惊且喜。

很多个性害羞的男男女女，总是不敢轻易跟对方说出"我喜欢你"，怕被拒绝，怕丢面子。

其实，你的表白，不论是不是被接受，对方的心里，从此都会对你蒙上一层柔柔的好感。

男人可以拒绝女人，女人可以拒绝男人。

但人，拒绝不了喜欢自己的人。

这也说明人其实是拒绝不了诱惑登门的。

诱惑找上来，把它拒之门外，与名利财色划清了界限，人内心里会有隐隐的遗憾：少了点诱惑在身边，终归是有点对不起自己颇有分量的身价。

每个人，内心总希望能与"诱惑"保持一段暧昧的关系。

既不会贴得太近。因为太直白地接纳了一份"诱惑"，有时意味着拒绝了其他所有的"诱惑"。

也不会离得太远。太清高的姿态会吓退了别人诱惑你的心思。

男人女人，始终如此。

遇上了那个可共度一生的人，是幸福。

除共度一生的人之外，还有另一个人愿为你等待，那是小小的成就感。

红颜知己，蓝颜知己……男人女人说："唯有他们，真懂我心。"

果真如此吗？

还是，红颜蓝颜，也是你身价的陪衬？

谁不虚荣？

谁敢直说自己虚荣？

人会为了虚荣心做很多违心的事情。

有些因虚荣心而为的事情，会莫名其妙地助人成功。

虚荣也是一种能量

很多人都有类似的感触：

若你想成为某一类人，极有可能最终成为不了那样的人。

若你想假装成为某一类人，却有可能真会成为那样的人。

……

就像很多演艺界的明星，功成名就之际畅谈自己当初的那个起点时会说："我当时只是陪朋友去考表演系，结果他没考上，我考上了。"

看似无心插柳，实则，为了自己的梦想而去争取，人往往会纵容自己的懈怠、不会用尽全部的能量；反而是为了获得别人的称赞和好感，人会释放出百倍的优质潜能。

人都顾及形象。

常常，女人大闹不止，男人用尽各种办法都无效。最终急了，甩出一句："你注意下形象好不好？！"

一句话，女人通常会稍稍收敛。

对自身形象的强烈求知欲，是人的天性。

路过街上的镜子前，你总会忍不住偷偷瞟上两眼里面的自己。不是男人女人爱臭美，而是人永远关注自己在这个世界中的形象。

爱情中的女人，总爱没完没了要求男友讲述对自己第一面的印象。除了想获得夸赞之外，也是女人渴望更多地了解自己在恋爱中的形象。

不论什么场合下的人，遇到了他人悄悄在讲是非，总忍不住想听上一耳朵。除了人性的窥私欲，还有就是人最关注社会给出的一切评价。不论是关于他自己的，还是其他不相干的人等的。

……

人常为了博得一个世人眼中精彩的形象而生活。于是才会有很多无心插柳的歪运找上门来。人又有表演欲，常常越是你不重视的方面上，越会心无负担挥洒自如，有超常的发挥。于是就常常成就了人生的不可思议。

虚荣心，都说它是坏东西。该尽快丢掉。

实则，一点虚荣心都没有的人，不太可能有成功。

功名利禄，看淡了，也就看透了。

可你若 20、30 岁，人生刚刚开始，功名利禄，要看淡，但不要看得太淡……

医生说：女人聊八卦有益健康。

心理医生说：女人聊八卦时精力最为集中。

……

等等，谁说只有女人才对八卦感兴趣？

亲热的流言

《傲慢与偏见》中，最经典的一句话是老贝内特先生对伊丽莎白说："生活的乐趣，就是看看邻居家的笑话，再让邻居看看咱们家的笑话。"

美国的大卫教授研究发现：每天，有五分之一到三分之二的人，都在背后议论他人长短。

俗称，传闲话。

就像开玩笑时大家偶尔会说：

所谓老公，就是最后一个知道自己家家丑的人。

所谓老婆，就是第一个知道邻居家家丑的人。

之前很多人认为传闲话是女人的特长，实际上恰恰相反。科学家发现：男人比女人更渴望背后议论人家的鸡毛蒜皮。且男人之间的"流言"，是更有地位的表现。

很多公司白领可能会有体会，有些时候，开场严肃正经的部门例会，最后会演变成嘻哈热闹的闲话大会。说人闲话，会让大家变得很亲热。

说闲话表现了一个人生活中的阅历，更传达出他在这个小圈子中的地位。通常，越是圈子里的领袖头目，越能敞开了聊八卦。

每次闲话大会，多是其中最有身份的人在独角狂吹，其他小字辈如饥似渴的眼神跟着他一惊一乍！再然后，出得门去，小字辈们再一个个把听来的闲话传递给其他比自己更小字辈的人。

可见，群体之中，传人闲话，也是讲究身份的。闲话，也注重来源的可靠性。而更有身份的人传的闲话，似乎看起来可信度更高。

偶尔在外，有人会笑着跟我说："昨儿跟某某吃饭，聊起你来着！"

心里偶会一紧，但随即放松。

他们聊了我些什么内容，当然不会说。我也不必问。

其实，一个人能笑着把背后说你闲话的人和事公布给你，这就是他隐隐在暗示你：我在背后夸你来着！

尤其，当这个人能力不差、地位不低时。

如果识趣点，你该对他笑笑；如果媚俗点，你该对他乍惊乍喜地笑笑。

一个人，能在背后说起你。这代表有人关注你。

受到了这样的恭维，想在这世上混下去，还是表示表示吧。

有美丽的谎言，自然也有残忍的真实。

面对你的弱点，若周围人来安慰，那便是美丽的谎言，同时，美丽之下，人心中都有不美丽的真相。

残忍的真实

如果你是一个成年男人，身边正有一个女人，不管她是女朋友还是老婆，记住一句话：别跟女人说出自己真正的缺点，否则她会没完没了地盯着那里。

如果你是一个成年的人，身边有大群看上去像朋友的人，不管他们真心还是假意，再记住一句话：别跟别人说出自己真正的弱点，否则总有一天他会照着那里来上一拳。

不是爱情不可靠，不是朋友不可靠，而是，人对于丑恶的东西，总会有种不自觉的残忍，甚至带有一定的强迫心理。

缺点，弱点，是魔鬼的兄弟，它们寄生在你的身体里，会伸出无数双小手，向你对面的人招手甚至拉扯。

不知对方有弱点时，可心平气和地与他做朋友。一旦知晓了伤疤真相，就似乎总有种想要去挠一把的冲动。

人天生有种破坏欲，所以人生一世，如同修行，渐渐修理掉内心的恶，慢慢整合起内心的善。

只是，在这个修行的过程中，要学会保护自己，你不能确定对面那个人，境界到底有多深。

要用"适当的弱点"来交朋友。但要留住朋友，还是给自己留张底牌的好。

有些人说："人心哪有你说的那样阴暗？！知晓了我的缺点弱点，朋友们都宽容地安慰我。"

嗯，这是个问题。

发现了别人身上的缺点，通常人是感觉愉快的。

若对方跟你说："一点都没关系，其实你很棒。"

那你应该感激他的体贴。但别信他的话。

钱和爱，谁都想要两全。
上帝却没那么大方。
多数时候，他只允许你二选其一。
于是这世上，每个人都开始为此纠结……

钱和爱，不能两全

两性关系中，男追女有这样的规则：

追求女人靠智力，追到女人靠能力，娶到女人靠实力……这一系列步骤想反复来 N 多次，你得有财力。

所以，所有男人都想成为有钱人。所有女人也都渴望自己身边的男人成为有钱人。

但很多没能成为有钱人的人会发现：那些成为了有钱人的人，会因为钱，变得比之前冷漠。

在我们周围，常常有些口碑不佳的人发迹。大家又诧异又愤恨："老天不长眼，这种人也会让他发达！"

这跟上帝没关系。

钱和爱，是人毕生追求的两样东西，也是一个人安全感的最重要来源。

一个人拥有更良好的社会关系和情感关系时，他对于金钱的追求欲望相对会减弱，所谓"温柔乡最最能扼杀英雄汉"，莫不是因为有了情，人会忽略钱。

当一个人缺乏爱的安全感时，他会把所有能量转移到赚钱上面。拥有更多的钱，确实可以减轻感情上的痛苦，这也是唯一可以暂时替代爱之缺乏的东西。

当然，这种替代功能并不可能真正长久，因为人对钱的适应性极强，在调查中发现：财富带给人的愉悦和满足感，不会超过一年的时限。即便是中了巨奖，也不可能让你幸福得比别人更久。

钱的副作用还在于：一个人一旦拥有了更强的赚钱能力，他爱的能力便会相应降低。

很多女孩子兴奋于交到了有钱的男朋友，交往之后却发现：他也仅仅就是个有钱的男朋友。一个有钱的男人，绝不像偶像剧中那么浪漫多情。

这是因为，金钱会降低人对情感关系的关注。拥有了金钱之后，人会懒得下更多力气去维持和建立更良性的情感关系。同理，拥有了甜蜜的情感关系，会降低人对金钱的欲望。所以就有了那句流行语：顾家的男人没能力，有能力的男人不顾家。

女人永远觉得这世上的男人不够完美："够体贴我的男人，不够有钱。""够有钱的男人，不够体贴我。"

这是女人最纠结的一点：到底是嫁给"钱"，还是嫁给"爱"？

不是"钱"和"爱"不能两全，而是拥有了其中一项，大多数人懒得去追第二项。

钱和爱，是人一生所有注意力的焦点。

虽然有爱比有钱更幸福，但"爱的机会"和"钱的诱惑"同时摆在面前，九成九的人会毫不犹豫地选择后者。这就是人性。虽然明知答案不见得是最好的，但瞬间的耀眼，抵得过一世的安然。

既然如此，不要再抱怨别人过得比你好。

女人的泪，男人觉得是负担。
男人的泪，女人觉得很诱惑。
谁说男儿有泪不轻弹？
善调情的男人，一叹一泪，便能搞定全局。

男人一声叹息，女人一生着迷

有个很奇怪的现象：女人都不爱一事无成的男人，但女人也常常被那些一塌糊涂的男人征服。

不少女性觉得困惑："我也搞不清楚自己是哪根筋不对劲儿了！竟然喜欢上这么一个输得一塌糊涂的男人！可是没办法，我就是禁不起他那一哭。一个强势的男人站在面前，我可能不见得会理睬，但一个弱势的男人站在面前，我觉得有义务要保护他！"

无奈呀无奈。谁让这就是女人，总是吃"心软"的亏。即便明明知道自己心里想要什么，但往往也总是心不由己！

织女放着天上的各路威猛大仙不爱，偏偏爱上凡间的放牛郎。

王宝钏甩都不甩一眼老爹给介绍的英俊公子哥，宁死非要嫁给穷小子薛平贵。

卓文君放着养尊处优的豪门金女不当，非要跟穷困潦倒的司马相如私奔去过苦日子。

……

大家说：这些个豪门美女都有点弱智。

但实际上，女人的恋爱，也常常抱有同情弱者的心态。

越骄傲的女人，越能勾起男人的征服欲。

越可怜的男人，越能激发女人的母性欲。

所以，老百姓感慨：好汉无好妻，赖汉娶天仙啊……

当一个女人，开始同情和怜悯一个男人，常常，就离这个男人得到她不远了。

所以言情剧中，那些男主角为博美人芳心，都要不惜自毁形象地装可怜。

男人的一声叹息，能让女人着魔半晌。

男人的一滴眼泪，能让女人放弃一切自尊。

只是，生活中，一段由同情开始的恋爱，进行到底，女人终会后悔。

毕竟，一个可怜的男人，能让女人爱一时。但一个强干的男人，才能让女人爱一世。

歌里唱，每个女人都是美人。

生活中，每个女人心里都有个美人。

不论通过何种途径，女人都要想法把这个美人描摹到世人面前。

心中的美人

人们都有选购相机的经验。这个时候，若导购小姐加上一句"这款相机拍人像会效果更好更漂亮"。十有八九，女性顾客会开始掏腰包了。

相机技术的发展，让越来越多的女人爱上了照相。即便不太真实的美丽，也能给予女人自信心的慰藉。

曾经很多女人不喜欢拍照，总感觉照片上出现的自己没有现实中生动漂亮。把原因归结为自己"不上相"。有趣的是，往往把这些照片拿给自己的亲人朋友看时，他们会称赞"照得真不错"。

这不是他们言不由衷的恭维，实则，他们说的是真心话。

人们总是不喜欢照片中的自己，因为我们心目中，对自我的估量值要比实际情况高。可能在旁人眼里，照片中的你跟真实中的你如出一辙，但作为本人，在真实记录容貌的照片面前，会有不满意的情绪。

从心理角度看，一个女人不论美还是丑，她的内心，总会觉得自己的心理相貌比实际相貌要美一些。所以这世上果真没有丑女人。即便丑女人，也会觉得自己只是不那么美而已。

见过一个模特，老公是摄影师。所以她拍照片总是格外简单。不需化妆，不用任何装饰，一张素脸拍完后，老公用修片技术帮她做上时尚的发型、添上完美的妆容。照片中的人儿，美得不可方物，但了解了这照片中美人的诞生过程后，总觉得心里有点说不出来的滋味。

越真实反映出一张人脸的照片，越不受欢迎。影楼里拿出来的相册间，总掺杂着或多或少的虚假，而这，才算是消费者心中拍得成功的照片。

曾经，为了看清自己的脸，女人会去照镜子。

如今，想要看清自己的脸，女人会去看照片。

镜子没法作假，但照片，可以让女人看到更美的自己。

虽然照片，反映的是最真实的一面。

但太真实的一面，人会拒绝接受。

每当帮人拍照，看着镜头里那一个个的巧笑倩兮，感慨：女人的心中，都有个美人……

女人都是"包包控"。
男人认为这是女人的拜金＋败家。
实则，包里的那个世界，装满了女人爱的安全感。

包里的世界折射心中的寂寞

女人对包包有种天然的喜好。小富一族都拎个 LV，巨富之女会拎爱马仕，手腕间晃动的商标图腾，最容易引起周围女人的侧目。

虽然女人的这种喜好被男人嗤之以鼻——"哼哼，虚荣"！

其实，虚荣心之外，有女人爱美的成分，更重要的，还有女人对安全感的渴求。

心理学家发现：手提包能给予女人更大程度上的自信心和安全感，拎上一款心爱的包包，明显能让女人更踏实更自信。

从科学角度来看，女人是格外需要依靠感的动物。当从密闭的家庭环境走向开放的外界环境时，会存在某种程度上的慌张感。手上握有一只提包，就好比是给了女人依托，可以让女人克服飘浮无依的惶恐感。在很多社交场合下，缓解紧张情绪的法宝，往往只是一只小小的手袋。

与此同时，每个女人，都在用自己的创意去料理自己的手袋。包里的世界，体现了女人心里的世界。

若一个女人的包里手机钱包零食化妆品样样不落，说明这是个很真实的女人，她从内到外都极具女性化特质。这样的女人会是个精干的好太太，同时也能够在男性群体中获得更良好的印象，她懂得让自己的生活更有完整性。

现如今流行大包，甚至有娇小女生背一个超大号的挎包，表面看起来独立又个性，但实际上越是喜爱超大号挎包的女人，生活越缺乏独立性。这样的女人更加具有依赖性，更需要身边人给她安全感，她不喜欢存在"意外"的生活。

除此之外，也偶有极少数的女人不喜欢包包，她们往往会有个超大号口袋的外套，一切的杂物都装在兜里。这样的女人往往女权主义，渴望自由，有着不输给男人的气场！

曾有人说：手袋是女人一生最亲密的伴侣。女人挑选手袋堪比挑选老公般仔细。

是啊。走出门去，不见得老公时时在侧；但走出门去，手袋却总是紧紧陪伴在女人的臂弯。当一个女人无法炫耀伴侣时，会炫耀她手边的装饰品。女人总需要不断被肯定，才能够更加肯定自己生活的方向。

男人都埋怨女人疯爱手提包。

是他不懂——当你不在她身边，只有它，在陪伴她。

有些女人的眼睛，是最迷人的地方。
有些女人的眼睛，是最恨人的地方。
这跟眼睛的大小形状没什么关系。眼睛里的内容能说明一切真相……

什么人最招烦

常常被问到一个问题："什么样的男人女人最惹人厌烦？"

这个问题非常笼统。因为各人性格不同，喜好自然也不尽相同。

不过，从一些调查数据中，还是可以得出这样一个结论：抖脚的男人招人厌；歪脖斜视的女人惹人烦。

很多人都不喜欢一坐下便吊儿郎当抖腿抖脚的男人。通常会把反感原因归结为：这样的人站没站相、坐没坐相，一点气质没有。

其实，除了气质问题之外，爱抖脚的男人分为两类：一类是患有轻微的"社交恐惧症"，一到了人多的公共场合就会紧张，不自觉地抖脚，是他驱散内心焦灼的表现；另一类则没这么简单，这是自私者的性格暗语，这类人相对较为自我，吝啬且不顾他人感受，这类男人多数头脑敏捷，也很能讨到一些女孩子的欢心，但追到手之后却很难做到像恋爱之前那样死心塌地。

一个习惯于歪脖斜视的女人，会带有几分风尘气息，给人一种轻浮奸诈的感觉。这类女人，也许精明、漂亮，但内心中总有更多尖锐的东西，若是跟一个男人的关系稳定下来，会不自觉地想要控制对方，属于对生活不容易满足的类型。

她们与同性相处存在巨大难题，周围的女人很难与她们交心；
但与异性相处相对融洽，大多数男人愿意跟她们交往，但提到结婚
会想办法推搪。

哪怕是最迟钝的男人女人，在选择伴侣的时候，也总会有超越
理论的细腻敏感。虽然说不清缘由，但面对一些对象的时候，感觉
会让他（她）喊"停"。

很多男男女女，也许此刻会掏出一面镜子，仔仔细细把自己照
个清楚，心想：不对劲的地方，大不了改掉。

不过，相由心生，想让你看起来更可爱，先给内心来场大扫
除吧。

女人当然都喜欢帅哥。
但帅哥与帅哥之间，也是有不同的。
不同类型的帅，反映出男人不同真相的心。

帅哥调情，姑娘挺住

曾经我们说：美女的嫁妆在她的脸上。帅哥的婚资还是得看他
的腰包。

美女一张脸蛋可做嫁妆，但帅哥的脸蛋却不见得能挣来花销。

话虽如此。但不论哪个时代里，男人也还是希望自己能越帅越好。

仔细观察会发现，每家公司里总有几位焦点型的帅哥同事。

外表能吸引女人的男人有两种：一种是天然帅哥型，也许衣着不经，却自有他的风度；另一种是长相普通但懂得修饰自己，属气质帅哥型。

第一类帅哥在与异性交往中会更矜持清高，貌似好像花心，实则也许保守。

第二类帅哥与异性交往的态度则更为随性。注重衣着打扮，擅长交际手腕，很懂得把握人与人之间的关系，同时对女人有征服欲。这类型的男人，花心者较多。

在一家公司里，这第二类帅男往往是备受女孩关注的焦点，这是他想要的效果。不少女孩就吃亏在了他们身上。

记得一位女孩曾来信问：单位里一位长相不帅但很会打扮、本身也挺吸引女生的男同事，忽然一次聚会上轻佻地问我："能不能把你男朋友甩了？"最要命的是，我当时竟然稀里糊涂地答他"不知道"！我并不喜欢他，却稀里糊涂做出了这样的糗事！我这是怎么了？！

其实没什么搞不懂。不过是一份女孩子的虚荣心罢了。

一个像这样焦点型的男人向女人做出"爱的暗示"，想做到完全不在意也很难。因为这也是女人在感情世界中，关于征服异性的一种虚荣心。

当然，这次失态的表现，也反应出那是个单纯的女孩。遇到这样公然的调情，慌了乱了不知所措了。所以才会在最无防备的状态下暴露了自己的内心。

这也没什么大不了。只要日后不要再给他任何轻薄得逞的机会。这就是女人对自己的尊严最好的挽回了！

完美男人什么样？
几乎所有女人都有个大致相同的模本：成熟，成功，没成家……
若真遇上这么个男人，姑娘们，小心点，这样的男人轻易沾不得。

未婚熟男沾不得

完美男人什么样？

不少女人会给出如是答案：35 岁上下，八九分熟刚刚好；职业不错，收入稳定，生活不窘不迫；没有结过婚，不会有前妻前子女月月上门讨要抚养费；不交往过深的女友，不会总在心里留着另一个女人的影子……

若恋爱目的是婚姻，真遇上了这么一个男人，最好要绕行。不要试图去征服他，因为别的女人做不到的事，你，也未必做得到。

未婚的姑娘总爱瞄准那些年龄不小的未婚男。理由是：男人到了一定年龄，总想要结婚的。所以，我若出现得太早，这个男人各方面还不足够成熟，不够十全丈夫的标准；我若出现得太晚，难免不被别的女人捷足先登。不早不晚刚刚好，只要施以温柔的诱导，他总会在婚姻面前就范。

这套结论看似完美，在那些所谓"完美男人"的身上，所有结论统统失效。

一个男人迟迟未肯结婚，难免玩野了心。最后即便是迫于各项压力结了婚，显然也更适应的是曾经的未婚状态。这样的老公，给予女人的不安全感显然要多于幸福感。

一个"成熟，成功，没成家"的男人固然能让女孩们激动到心跳加速手脚冰冷。

但真遇上这么个男人，姑娘们，还是小心为妙。他的光鲜，不代表幸福的全部。

女人幸福与否，跟自身需求没多大关系。
女人幸福与否，跟她周围女人的幸福有莫大关联。
一个女人不幸福，是从她看到了"别人的幸福"开始的……

幸福的参照物

一次节目里遇到了一位年轻女孩，她问："现在我身边的闺密们都表示嫁人一定得嫁有钱人，这想法对吗？"

问她："何出此问？"

她叹了口气："我们有个好姐们儿，嫁得极好，老公是当地首富。在参加她的婚礼时，我们几个女孩凑在一块儿聊天，从那时起大家就表示，一定得嫁有钱人！要有目标、要有决心，一定要成功！"

……

由着这女孩，想到了曾经遇到过的一对超大龄的剩女姐妹：姐姐 53 岁，妹妹 50 岁，姐俩从来没有过恋爱经历。说到原因，她们说："我们家三姐妹，大姐嫁了个大学老师，姐夫又帅又有风度且温柔体贴有修养。我们俩就是奔着大姐夫的标准找对象，结果找来找去一直没遇上合乎标准的，所以就剩到这会儿了！"

……

每次说到这对姐妹，大家会觉得很喜剧。虽然五十多岁还没有过初恋，但真正周围能同情她们的人却少之又少，谁都觉得她们耽误在自己手里。女人天生爱做梦，但每个女人也都要为自己的梦承担责任。

除了批评她们之外，有时想想，那个"大姐夫"，又何尝"无罪"？

每个人的身边都有个小小的生活圈子，这样一个圈子，最稳定的状态是，每个人的能力和成就都差不太多。若突然某天这个圈子的某个人"成长"过快，超出其他人一大截，那这份稳定就会被打破。其他人的生活会彻底被颠覆，从此活在"追赶"的路途中。

偶尔有人追得上，从此，被众人追赶的对象，换成了是他。

绝大多数人追不上，于是，等他年纪一天大过一天，会停下来，转而教训子女："你爸妈这辈子就这样儿了，你得努力，得有出息，得为我争气！"

一位朋友调侃说："一个行业里只要出一个能人，其他人也都得跟着拼命。所以，为了大家的幸福，人一定得甘于平凡！"

这话可以当成玩笑听听。

不过，从道理上看，如果身边真的突然之间某人发迹，你若做不到心平气和地用曾经的平常心去交往，不如，退得远一点。脱离那个让你羡慕嫉妒恨的圈子吧。

曾经不少人鄙夷这种人："一旦得势就不理往日的穷朋友了！"

试想，如果一个人得了势，还天天跟往日的穷朋友们形影不离，穷哥们儿真能受得了这份心理落差吗？

人总是要结交更相似生活状态的人，羡慕嫉妒恨一个人，很难受。但被周围人羡慕嫉妒恨，那感觉，会更糟。

人非圣贤，做不到无妒无恨，那么，想让自己活得好一点，把"幸福参照物"的标准定低一点吧！

爱情方法论

男人那点心思 女人那点心计

曾经大家说："爱上一个人，只需一分钟；忘记一个人，需要用一生。"

实则，在这样的时代里，已是落伍了。

如今，爱上一个人，也需要仔细地谋划。

在女权口号流行的时期里，女人们高喊："不做男人的影子，不把自己捆绑在男人的身上。"

实则最聪明的女人，都是善于当"男人影子"的女人。

每个女人都想成为男人的影子，如影相随，摆脱不掉。同时他又抓她不住：他进一步，她便退一步。

不知不觉间，吊足了对方的胃口，便也控制了对方步伐的节奏。

男女之间的游戏，像极了一曲三步舞：先是他进三步、她退三步；而后换她进三步、他退三步……

于是你看，舞池是恋爱产生的最佳场所，那里面，男男女女都懂得该进时进、该退时退。

出了舞池，男女个个重新剑拔弩张，不把对方逼到无路可退，绝不善罢甘休。

想想看，当一个人到了无路可退，他还会乖顺地后退吗？

女人都喜欢玩猫捉老鼠的游戏。

那么，就永远不要让他无路可退。

落寞也是一种神秘。
男人总迷恋那些落落寡欢的女人。
开朗也是一种喧嚣。
男人也逃避那些朋友成群的女人。

演给他看的寂寞

男人总是一个个的。女人总是一群群的。

女人跟男人比起来，是更加纯粹的群居动物。很难想象，让女人一个人生活在这世上，她该会如何的张皇无措。

不少女孩子来跟我咨询过这样的问题："我自认是个开朗乐观有人缘的女孩，身边同性好友无数，为什么偏偏会没有男人追呢？"

是啊。谁让，越是同性好友无数的女孩，越是让男人不敢来追。

从恋爱心理角度来看：不论男人女人，向异性表达爱意之前，总是要考量这次"表白"的风险的。如果注定失败，且失败后会被更多的人知晓而丢面子，那么绝大多数男人会选择强忍下心头的爱意。

从男人角度来看，一个女人，身边时刻围满了好友，常常，这对异性是一种"拒绝"的信号。男人通常对群居型的女人不感兴趣，觉得她缺乏神秘感，也会对她产生长舌俗妇的错觉。

另外，即便这个女人此刻并未有好友在侧，她时刻手机忙碌跟好友联络，或是言语中，句句不离那一众狐朋狗友。面对这样的女人，男人也不敢轻易表白爱意。

男人害怕被拒绝。尤其害怕在大庭广众之下被拒绝。

围绕在女人身边的好友、句句不离朋友、时刻在保持电联……对男人而言，都是一种隐形的心理负担——"如果她对我没意思，那我肯定会被她当成笑话四处宣扬！"

如果一个女人，渴望让异性接近，那么首先，在一定程度上，要让自己保持一定的孤单性。在与异性相处时，尽量不要过多地聊到自己的亲朋好友。想引人追，把内心中最孤单的一面展示给他，效果最佳。

男人都知道：寂寞的女人很好追。

可女人也得知道：寂寞，是要装给他看的。

有些女人是会哭，有些女人是爱哭。

会哭的女人让男人动心。爱哭的女人让男人烦心。

眼泪和眼泪之间的区别，是女人与女人之间的差距。

如何哭出爱的价值

虽然关于女人的泪，有"雨打海棠""梨花带雨"等妙不可言的词句。

但实验发现：女人流泪的时候，男人会觉得她变丑了。

女人的泪，是为了让他多爱她一点。

可常常，女人的泪，会让他觉得爱她更少了一点。

有些女人，眼泪既是流给他的，更是流给他看的。

有些女人，从不让他看见她流泪的样子，只有他不在时她才会让眼泪掉下来。

第一类女人，爱得自我。在一段恋爱中，更加注重结果，常常也更容易得到结果。

第二类女人，爱得自尊。在一段恋爱中，过分注重尊严，常常也是得了尊严失了爱人。

最终，男人被那个流泪给他看的女人套牢了，心却惦记着那个从未在他面前掉过眼泪的女人。

爱可以无价。但一段感情中，女人的眼泪是有价值的。

对于女人的眼泪，前几次，男人会诚惶诚恐，满足她的一切要求。但千万千万，不要超过五次，否则，泪流成海，葬的也只是你的心。

所以啊。聪明的女人，不要在他面前流泪。要想办法让他知道：你曾为他哭泣。

这才是眼泪，最有价值的体现。

有人说：男人用眼睛谈恋爱，女人用耳朵谈恋爱。
所以，女人一天N遍电话追着男人，索取爱的声音。
但听筒那头的他，也许只会把这种"爱"当成"烦"。

电话听出他真心

《倾城之恋》中，范柳原的电话在夜半时分惊醒了白流苏，沉默片刻，他只说："我爱你。"

电话挂断。白流苏呆呆地乍惊乍喜。忽而电话又再度响起，还是他，他问："我忘了问你，你爱我吗？"

……

虽然之前范柳原对白流苏的感情，不免有更多占有欲的成分。可这一个晚上的两通电话，我想，他开始爱她了。

不要小看恋爱时的一通电话。其实反应的是男人女人最不同的恋爱心态。

尤其，当身处喧闹的环境中，心血来潮的一个电话，往往会引发男人女人不同的情感神经。

女人对男人说："我正在逛街，突然想给你打个电话，就想听听你的声音。"

这时候男人大多会不耐烦地对女人说："我没空，你好好逛吧。我先挂了。"

男人若对女人说："我正跟哥们儿一起吃饭，突然想你了。"

这时候女人基本会陶醉到温柔："我也想你了……"

一部电话，线路的两头，联通的是两种思维观念的人。

男人，不是善于用电话来谈恋爱的物种。

女人可以一边抱着话筒一边想象着对方的音容笑貌，这可以是女人爱情的全部形式；男人却非如此，即便那头的声音甜美婉转，男人仍不会甘于谈一场"声音恋爱"。

爱，通往女人心里的路，必然要经过耳朵。

爱，通往男人心里的路，必然要经过眼睛。

女人是听觉动物，男人是视觉动物。听声，可以诱发女人的爱意；睹貌，才能让男人爱得彻底。

可很多女人是以男人给她打电话的次数、长度以及语言的流畅幽默度来评定他爱的质量。

其实差矣。

当一个男人在电话的那头不知所云、前言不搭后语，恰恰，这说明了爱的来临。

真正爱上了一个人，男人也会紧张。

紧张的后果则是语言不那么潇洒自如。

也许这会让他在喜欢的女孩心目中有所减分，但实则，一个男人，紧张的背后，是有真心的。

在男人面前，淑女总是输给辣女。
不是男人太下半身。
很多时候，男人根本听不懂淑女在说什么。

追男人，千万别绕弯子

女人总是发愁于如何去跟喜欢的男人搭讪。不少姑娘只能眼睁睁看着一次又一次的恋爱机会从自己眼前溜走。

有位挺漂亮的姑娘曾说："都快三十了还单身一人。追我的男人我不爱，我爱的男人似乎都反应迟钝。也不是没有暗示过他们，面对我友好的暗示他们无动于衷。是他们没明白我的意思？还是他们对我没意思？真是急死人！"

关于女人的搭讪，美国的心理学家曾做过这样的实验：让一组女性以50种最常见的开场白方式分别向70名男性进行搭讪。结果显示，男人最喜欢的女性搭讪方式是简洁明了直奔主题。从实验得出结论，男性很难读懂来自对方的一些暗示性表达，即便对面这位异性风情万种抚首弄姿，也难起到效果。

生活中，在女追男的问题上，淑女总是败给辣女。

败北之后，淑女总会恨恨地骂男人"没品位"！

也许那个男人真的很没品位，大多数时候，即便是有品位的男人，也很难读懂女人雾里看花的友好暗示。

淑女输就输在婉转，辣女赢就赢在直接。谁让男人天生的察情能力要比女人差。

很多女人在跟暗恋的男人搭讪时，往往爱以开玩笑的方式开始。一则，幽默感会放松求爱者的神经，二则，以玩笑方式求爱，即便被拒绝，也可以有个下台阶的缓冲余地。

女人觉得这是最好的示爱方式。实则，对男人而言，这招并不奏效。

男人的幽默，女人会衍生出其中爱的深意。

女人的幽默，男人通常只是当成笑话来听。

除非这位男士同样对她"蓄谋已久"，否则，他很难弄懂她话里的真意。

若真喜欢一个男人，不妨直截了当地邀请他："一起吃晚饭？"
"周末一起出来玩？""留个电话吧。"

不要怕被拒绝，不要怕丢面子。

面对女人的搭讪，男人往往都会欣喜若狂。

他会激动于自己的魅力，同时会赞叹女人的"识货"。

对女人而言，爱得千回百转，才有滋味。

对男人而言，爱得直接一点，才是过瘾。

如果真爱上了，女人，不妨大胆一点。男人天生不是猜谜高
手，若一个女人总是让他猜来猜去，通常，他会干脆放弃。

追女人，要绕绕弯子。追男人，不妨快一点、猛一点！

男人都烦女人煲电话粥。
女人觉得这是老公抠门儿、嫌话费太贵。
男人心里，女人的电话粥，比电话费更花费的是他的心力……

当老公在身边，别煲电话粥

曾经，不少人以"讲话"来判定女人的身份和教养：

尊贵的女人，在有人跟她说话之前，不会主动先开口。

轻贱的女人，在有人强行打断她之前，不会主动先闭嘴。

但男人显然喜欢不太贵也不太贱的女人，她会主动向他示好，然后闭牢嘴巴微笑着听他讲话。

此类女人基本都属男人的理想。

生活中，不爱讲话的已婚女人少之又少。

很多年来，女人之间的讲话，除了面对面以外，电话粥，更是从未过时的谈话方式。

但绝大多数老公，都讨厌自家老婆煲电话粥："又没什么要紧事，有必要聊俩小时吗？"

老婆们听到这话，愤慨地跳脚："我又没乱买名牌，也没出去疯玩，不过是跟姐妹们聊聊电话，你用得着这么挑眼吗？"

因为聊个电话，两口子吵架的例子还真不在少数。

女人觉得男人是在找碴儿。实则女人的电话粥，确实会让男人抓狂。

人的大脑，往往会忽略掉那些可以预知、有经验可依的事物。

所以，会议过程中，你可能会睡着；交谈过程中，你可能会走神……因为可以预知结果，思维神经会相应放松。

人脑对于那些无法预知结果的事物会格外地关注，神经会高度紧张。

最折磨人的事情往往是，隔壁屋里偶尔传来跟你生活相关的只言片语，你不确定那屋里的真相是什么，一颗心时刻提在嗓子眼儿，抓狂！

听到别人电话聊天，令人觉得躁烦。

只能听到一方的话语，在听者一方，所获得的信息是不完整的。对信息只言片语的了解，会加深人内心的不确定感，让心情时刻处在戒备和慌张状态。

人性中有种特质：总想把不完整凑成完整。

这种"求全"的心态，最容易受到单面信息的折磨。

男人也许大度忍得下天下事，但屋里女人对着电话喃喃不休，会让他忍无可忍。

作为女人，尽量不要在老公面前开聊电话粥。

他不是小气，他是真的心里没底。

寂静的房里，一个女人对着听筒的低语，在身边男人的耳里，是世上最躁烦的声音……

男人眼神好，所以总能不断发现身边的美女。
男人记性差，所以看过美女之后会迅速忘记。
男友看美女了，不必太纠结。他不会把她刻在心里太久……

多少姑娘在给男友当红娘

女人一直在问：男人是什么？

答案应该是：男人是一种眼神好但记性差的动物。

这一点，在一个美女路过他身边的时候，反应得最是清晰。

男性血液中睾丸激素水平是女性的6倍，只要有美女从身边走过，男人几乎会在一种无意识状态下用眼睛将她搜索出来，且视线会跟随她的倩影移动一段时间。直到她走出自己的视野范围。一旦她走出视野范围，男人会在最短的时间内将她忘干净。

多数女孩子，在男友爱看美女的问题上，绝不肯受一点委屈。数不清有多少的女读者因为这个问题闹到我这里来。逛街时，男友看了美女数次且屡教不改。作为女友当然愤怒了，不愤怒不足以捍卫自己的身份。

常常告诉这些女孩子：傻姑娘，不要跟他吵不要跟他闹，安安静静地等他过足眼瘾，他自然会把她忘掉。若是大吵大闹不依不饶，反而让那些美女身影更深切地停留在他的脑子里。

美女不见得会在他心里留下什么。但女友的醋劲，一定会引发他对那些美女的兴趣。

所以姑娘们，如果你喜欢一个男人，想紧紧抓住他。

那么记住：不要总在他面前提起某个女人，不论是善意的表扬还是恶意的攻击，不论优点还是缺点，你的反复提及，不会引发他用理性去判断那个女人的优劣，只会让他好奇："那个女人到底是什么样子的？"

反反复复在他面前提及另一个女人，小心最后，你成了他们的红娘。

不论是你的闺密，还是你的情敌。不论是防患于未然，还是想一举击败她。只要你想捍卫自己的恋情，最好的办法是：让她们彻底从你跟他的谈话中消失。

剩男剩女总爱说自己不挑。
其实并不是真的"不挑"。
只不过N多年的恋爱经历下来，他们已经学会了"低调地挑"。

低调的挑剔

电影《非诚勿扰》中，葛优演一位大龄剩男，在相亲路上屡屡有些尴尬的奇遇。无独有偶，也有位超大龄剩男写来过一封长信，历数自己二十年相亲失败史。其中总结了21世纪相亲的种种难关：

"自己已经超大龄了，周围人都觉得我特可怜，纷纷给我介绍相亲对象，虽然通过事前的大致了解，明知没戏，但碍于熟人情面不得不去，最终相亲成了负担。

"我这个年纪的男人当然要找剩女，可目前剩女心态很奇怪：对方的条件在我看来并不是特优越，自我感觉超好，挑来挑去，永不满足。

"社会上约定俗成的看法仍是以貌取人。大部分女的都认为：你长得帅，对你就有好感；长得不帅，永远别指望一见钟情。

"网络上认识的女性，见面前吹得天花乱坠，见面后发现与事实大相径庭。

"曾几何时，我曾经也咬牙见过一些离异、二婚的，可这些人'不是性冷淡就是心怀鬼胎'。"

……

关于相亲这件事，每天都有无数的男男女女在跟我聊。有个很有趣的发现：也许是经历的共同一场相亲，男人女人的想法截然不同：

他说："相亲来的女人都性冷淡。"
她说："来相亲的男人都性欲狂。"

他说："这些女人不接受、不拒绝，老是吊着我，让我不知该进还是该退"。
她说："这些男人这么没耐性，多追一会儿我就同意了，他们总是半途而废"。

他说:"这些女人不美不俏还自我感觉良好。"

她说:"这些男人中就没有一个能读懂我的好。"

……

男人女人,都是这么被"剩"下来的!所有恋爱上的不相容,都是心态和观念上的差异。

剩男剩女总爱说自己不挑,只不过,熟男熟女所谓的"不挑",反而是种"低调地挑"。恋爱谈了无数年,相亲有N多场……一个人,阅人无数之后,想不挑都是不可能的事。每一次相亲,你在看对面那位异性的时候,之前所有遇见过的优秀异性的影子,都会隐隐地投射在他(她)身上。越是剩男剩女,婚嫁越成难题,就是因为,人见得太多,参照物太多,心里太杂乱了。

除了调整心态之外,还有几句话送给天天面临相亲压力的朋友们。学会"体贴人",才能真正得到"真心人"。

比如,相亲之前,要作准备。可以事先电话或网络了解一段时间。很多男女感觉对不上路,不是因为彼此条件不合适,仅仅是因为初次见面的"陌生感和戒备心"造成心理上的不适应,这些不适应,随着时间的增长,是可以慢慢消除掉的。事先有沟通,可以让你了解对方的说话和行为节奏,同时也能够给你们制造更多的共同话题,成功率更高。

另外,见面时,要多关注"对方"。现代人普遍自我,带有自恋情结,所有聊天的内容没完没了地会集中在"我的一切"上面,每句话都以"我怎样"开头的人，很容易引起对方的反感。尽量站在对方的立场上说话，所谓嘘寒问暖，其实就是表达对对方的一种关心。如果能让一个人觉得你关心他的生活、他的一切，得到满足感的同时，也会更多一份对你的好感。

……

恋爱也是一个将心比心的过程。人间所有的真情，都需拿真情去交换。在交换的这个过程中，尽量亲和一些。太有身段的人，大家普遍不爱。

热恋时，人人只会匆忙地去爱，而忽视了什么是爱。
当恋爱的热度减弱，激情渐渐平复，才懂得了：爱，不仅仅等于爱情……

一年之后，才懂得什么是爱

有个男孩最近很苦闷：相恋一年的女友突然某天不辞而别了，只留下一通电话："我们不合适，与其痛苦得更久，不如趁现在快刀斩乱麻吧。"

女友失踪后，男孩进行了百般努力，求了千遍万遍，女孩的心意始终不变。

女孩说："早知今日何必当初，你从未关心过我的感受。又何必再寻我回去继续之前那煎熬的时日呢？"

大家都说："这个男友太不合格，跟女友缺乏良好的沟通。"

这话纵然没错。但有个很普遍的现象：热恋时，我们匆匆忙忙地去爱，又有几人会想到去仔仔细细触摸对方的心呢？

一对男女真正地互相了解，往往得是相处一年之后的事情。

一年之内，他们只懂得发自内心地去爱。这种爱，更多的不是爱对方，而是一种深深的自爱、是满足自己对爱情的向往。

所以不少男女恋爱才仅仅一年，纷纷拆伙，这时候给予对方的评价常常都是类似于"自我主义""不会照顾人""不成熟太任性"……

这时候的人，还没真正从"爱上恋爱"转移到"爱上爱人"！

有些人，一旦恋爱，马上会想为对方倾其所有。

但也有些人，得等一年之后，才懂得什么是爱。

尤其，那些对爱情要求甚高的"唯爱派"。

女人总爱给男人追求自己的机会，即便是她不爱的男人。
可惜，她即便给了他"追"的机会，也不会给他"追到"的机会。
被人追总是件骄傲的事。
要不要被他"追到"，是她早已写定的心思。

三分钟定终身

女人总是相信自己的直觉。大多数女人的恋爱，其实都是在跟自己的"感觉"谈恋爱。

关于择偶问题，男人普遍会觉得女人犹豫不决、拖泥带水。

男人的理由是：当我追求她们的时候，她们无限期地拖延时间，嗫嗫诺诺不肯给出爽快的答案。纠结到最后，也许是"拒绝"，也许是"应承"，但不论"拒绝"还是"应承"都显然让人等得失去耐心了！

男人的这番话固然有不少现实依据。在判断一个男人是不是适合自己的伴侣问题上，女人可谓相当迅速，通常只需三分钟，便能作出"继续交往"或"到此结束"的决定。

英国一项针对三千名成年女性的调查显示：只需要三分钟，女人就可以根据对面男人的外貌体态、口音口才、衣着品位等方面来判定出此人是不是自己中意的类型。而后，女人会根据自我直觉，进一步判断此人的处事原则、事业进取心以及人品个性等深层方面。而且，一旦这三分钟内，女性作出了基本判断，那接下来，不论外力的影响如何，女人通常不会改变内心的想法。

从生理角度看，女人的直觉要强过男人。在社会生活中，敏锐的直觉可以增加生存的机会，但在恋爱生活中，固执的直觉却会搞砸女人的爱情规程。

女人最为重视"初始效应"，爱一个人，女人最依赖的是直觉。88%的女性都承认，直觉，是让自己一直坚持下去的理由。即便明知道这个男人最终会带给自己伤害，无奈，女人，说服不了自己抗拒"直觉"。

一旦爱定了一个人，女人会生出九头牛都拉不回的劲头。旁观者的好话、坏话，她统统听不到心里去。也唯此，才能证明一个女人真的爱过。

爱，会堵上女人的耳朵。

当一个女人，能够听得进旁人的声音，八成，她已经离爱，越来越远了……

有些人是急性子，有些人是慢性子。
"爱情"是个不快不慢的性子。
面对它，你要有耐心，同时，也不要拖得太久。

相亲后的黄金十四天

很多相亲者都败在"感觉"上，每每相亲结束，总会说："没感觉。"

虽然，很多人也承认相亲不能"唯感觉"，但也确实很难说服自己接受一段"没感觉的感情"。

可能很多人会持"感觉天赐论"，觉得所谓"感觉"是上天的礼物，实则，两个人的初次见面，通常"感觉"都不会太好，不熟悉的两个人在第一次会面时，难免会有戒备心，这种戒备是一种天然的敌意，因为有它，很多人在表情达意的时候，难免会跟平时状态有稍许区别。

很多男女在相亲问题上屡战屡败，不外乎都是这种戒备心作祟。

要消除这种戒备心，唯一的办法，就是频繁地去接触。

感情的产生，都来自于双方高频率的互动。如果你觉得一个人更有魅力，一定是通过更多的渠道接触了他、了解了他。可以这样说，魅力，有时候是"熟悉"的产物，当我们对一个人熟悉了解之后，会更倾向于去接受他的优点。之所以日久生情比一见钟情的概率高，就是这种频繁接触而带来的好感衍生。

相亲后，成或不成，要看接下来十四天的表现如何。

相亲后的两周之内，对相亲者而言是最为关键的时间段。如果在这段时间，两人频繁接触且能产生好的情绪作用力，那未来发展成伴侣的可能性便随之大幅增高。否则，便只是又多喝了一次相亲茶而已。

两周，对于一对相亲男女而言，是个很关键的时间节点。

两周之内，大部分人都抱有比较高涨的信心，想要跟对方好好发展，也愿意给对方更多的机会，但两周过后，若是自己的这种信心没能得到正面的满足，便会想到放弃。

所以不论男人还是女人，如果相亲时遇到了一位你还算中意的对象，那要懂得把握之后这两周的时间：尽可能多地与对方获得联络，电话短信尽量频繁一些，有时间最好多约对方出来见面，喝茶，聊天，看电影，但先不要聊太深层次的话题，这个阶段，是给予每个人展示自我个性和兴趣的时间段，目的是要让对方更多地了解你身上的特质，同时也让你更多地读懂对方身上的各种信息。

如果能够愉快地度过这两周时间，并且发现对彼此的好感在逐渐升温，那么接下来可以进行更深入的精神沟通了。把彼此的话题扩展到两人更深入的兴趣爱好、生活理念等方面，如此一来，你们之间"感觉的温度"会有个大幅度的提升。

通常，良好的恋爱关系，在两周左右会有个实质性的进展和突破，表现为接受对方、愿意有共同生活的愿望。如果这个实质性的进展迟迟没能到来，那说明你们恋爱的戏份，只会越来越少了。

爱，可以日久生情。但拖得太久，爱也会失去兴趣。

相亲时，若遇上一个条件合适、感觉平平的对象，先别急着否定，给他两周时间。

半个月，并不算长的一段人生，也许能帮你收获几十年的美满。

爱情，有时是个慢性子，多些耐心，它才会多给你些机会。

有些女人嫌男人手不老实，有些女人嫌男人手太老实。
男人一双手，让女人爱恨交织。
男人一双手，也是女人评判男人质量的试金石。

一招试出男人的质量

新近看了一则研究：作为女性，轻轻拍一个人后背，这个微不足道的动作，有助提高被拍者的风险承受力，这个动作容易诱发人们对于婴儿期在母亲怀抱中的感觉，让人产生安全感。

可见，所有的人际关系中，肢体行为往往是最佳沟通方式。

比如说：

心情低落时，一个拥抱能瞬间帮人树立起信心。

运动赛场上，击掌、拥抱越多，运动员的表现越出色。

学校教育中，常爱轻拍学生后背的老师总能使得学生们有更高的学习积极性。

夫妻相处中，为对方捶背捏肩能带给伴侣更多的爱和满足。

……

研究发现，在肢体接触时，人体会分泌一种有助于放松的激素，从而减缓紧张，同时还会促使人体"拥抱激素"分泌量增加，这种"拥抱激素"有助于使人产生友好之爱的感觉。

不过，并非所有的肢体接触都能帮助你找到社交捷径，如果不了解更多的肢体表达语言，作为一个女人，在与异性的交往过程中，还真有可能为自己带来不必要的麻烦。

就比如，作为女人，不要随意去碰触异性的胳膊。在肢体语言中，这带有某种性的暗示。尤其是，男人，当手掌有意无意地去触摸女人的胳膊，这就是一种试探，是在投石问路，若是女人的态度不明显反感，接下来，他会得寸进尺的。

女人身体的每一个部位，都有它独特的象征性。

在不同的部位上，做不同的行为，是区分一个男人是否具备情趣的关键。

所以，色狼的手只会伸向女人胸部。但情圣却懂得先把手指插进女人发丝……征服一个女人，也许最终的落脚点都是床。但这之前的步骤，却是评判男人质量的关键！

> 虽然，男人看女人，先看胸，再看脑。
> 但"男人"跟"大脑"之间，却有着千丝万缕的相似性。
> 有些时候，我们的大脑，就像我们的男人，都是"好色生物"。

吸引注意力的技巧

女人总是抱怨男人不专心。

其实何止是男人，从科学统计来看：一个成年人，能够集中注意力的时间不会超过 25 分钟。科学家建议大家每学习 20 分钟就该休息 10 分钟，如此才能永远保持高效率的精力状态。否则思维状态会越来越糟糕。

其实，女人与男人相处的过程，就好比是不断改善大脑机能的过程。

男人好色，大脑亦好"色"。男人喜欢姿色绚丽的女人，大脑喜欢姿色绚丽的事物。一个姿色绚丽的女人能让男人回味良久，一些姿色绚丽的事物能让大脑增强记忆。善于学习的人会用不同颜色的纸笔记录不同的学习内容，善于恋爱的女人总会更换不同色系的造型给予爱人新鲜的爱点。做人做事，善于用"色"很重要。

大脑喜欢搜索问题，男人喜欢"问题女人"。在学校里，老师总是更偏爱那些能提问题的学生，他们更善于思考。其他同学不要不服气，我们的脑神经一旦遇到问题，会激发更大的能量来搜索答案，从而促进脑细胞的活跃度。恋爱中也是同样。男人嘴上说喜欢"乖乖女"，实则心里都有一个"坏女孩"，她给他制造过麻烦、给他增加过障碍，让他恨得咬牙切齿，但也爱得欲罢不能。这就是人性，一个女人，只有让他为你投入更多的思考力、耗费更多的脑细胞，才有可能让他黏你黏得更紧。

大脑喜欢幽默，男人喜欢幽默的女人。疲劳的状态下，人总是喜欢看部热闹的喜剧片，这是对大脑最好的休息。轻松的思维环境，能够增强脑活跃度。女人的择偶，总是把幽默感放在极靠前的位置。女人认同，男人的幽默感代表智慧。其实，男人同样也喜欢幽默的女人。能说能笑个性开朗的女人总能赢得异性更多好感，因为她能让他更放松。是的，男人喜欢美女，但女人身上，唯一能战胜美貌的，大概就只有个性了！

大脑需要味道，男人需要有味道的女人。清新的气味可以增加脑部活力，所以薄荷口香糖、柠檬味的清新剂，都是办公室里白领们的最爱。女人征服男人，味道很重要。这个"味道"不仅指气味，还有更抽象的寓意。曾有一个男人迷恋一个女人，喜欢她身上有一股好闻的味道，描述不出，但极吸引人。等周围人见过那女人后才明白，她身上的香气不是来自任何的香料，而是她举手投足间温和的气韵给人的一种关于香气的遐想。而男人女人，巧妙转换身上的香氛气味，可以成为恋爱的增味剂。

现如今是女人的求婚时代。更多男人是被女人拖进了结婚礼堂。

所以恋爱也叫"拍拖":拍拍打打、拖拖拽拽,女人肯花力气就必定能搞定一位丈夫。

那些还没能把男人拖进礼堂的女人要注意了,其实"拖"的过程中,也是可以讲究技巧的。

逼婚有窍门

普通员工谈生意是在公文桌上。

中层领导谈生意是在酒桌上。

CEO 董事长们谈生意是在高尔夫会所里。

……

越是高端人士,达成工作目的的过程,越会选在能让人舒服得一塌糊涂的地方。

在这种环境下,对方点头允诺的概率会更大。

谈判的最高境界是不断让对方放松警惕;你自己时刻保持警惕。

值得一提的是:你要温和,更要小心对方的温和。

这套商业法则,用在感情范围内,也相当的有效。

冷水煮青蛙,青蛙才不会挣扎。

同理,舒服的状态下,别人反抗你的可能性就会小。

想让别人给你承诺,首先,你要给他一个安逸的环境。

至少现在的男男女女,是不懂得如何去营造这种环境的。

有女孩来哭诉男友的不负责任:我们已经交往四五年了,眼

看两个人都往三十岁奔了。他仍是坚决不肯结婚！我说不结婚就分
手，他也不肯同意。每次都搪塞说"现在还不成熟，不适合结婚"！
为这事我们周周吵、月月吵，已经不止一次给他最后通牒了，可面
对我的逼问，他甚至玩起了消失！怎么办？难道真的只有分手吗？

……

这不是个例。

每每我会跟这样的姑娘说："你太不会聊天了！"

逼婚，也是有技巧的。

比如，可以常常腻着他畅想："你觉得日后咱们家装修用欧式
风格还是中式风格好？"

也可以常常问他："你觉得以后咱们的孩子学钢琴好还是舞
蹈好？"

还可以常常对他说："等咱们老了，去海边买栋房子，两个人
静静度过晚年，多美啊……"

……

作为一个人，对未经历过的一切总是充满着恐惧和排斥，而婚
姻，对未婚者，不仅仅是未知的恐惧，还代表着责任和压力。越来
越多的人逃避婚姻，其实都是受到了舆论环境下太多关于"婚姻"
的负面信息影响。

作为想要结婚的一方，要不断把"正向积极"的因素植入对方
心里，要懂得用你的思维诱导对方跟着你去思考。当然，重要的是
不断给他勾勒画面，让他能更直观地去感受和想象。

只要一个人对婚姻的思索形成了习惯，只要脑袋中对跟你共同的前景越来越有画面感，通常，你们离婚姻就不算太远了。

思维也是有惯性的，当思维形成了习惯，对方就成了冷水锅里的青蛙，不会想到任何的挣扎。

一个男人，99 次向一个女人求婚，也许很浪漫。

一个女人，周周月月向一个男人逼婚，实则很悲壮。

但，永远，这不是最有效的办法。

想轻松获得婚姻。

要懂得给对方做做"催眠"的。

一首歌想唱得好，开头调子别起太高。
一段恋爱想谈得好，开头时别把对方夸得太狠。
人都有点"贱"。先吃苦头才能尝出甜头。
恋爱只四字：贱亦有道。

爱亦有道，贱亦有道

人性本贱。

所以，越是被宠坏了的女人，男人越爱宠。

换了男人也是一样。当一个男人个性上牛气冲天，别指望旁边的女人会甩他冷眼，往往越是这个时候，女人们越会蜂拥而上地献好。

其实大家不外乎是同一种心理：被全世界疯狂追求的人，到底有多么的滋味不凡？

你静静地看，这些被宠坏了的男女，通常不会被周围那些捧着他、惯着她的人得到，最终他们会走近一个用冷言冷语对待过他们的人，并且，献上自己的人和心。

周围那些疯狂的追求者们在大跌眼镜的同时，只喊出一个字：贱！

心理学上有这样的观点：想讨得女人的欢心，男人要对她先贬后褒。开始先挑她一点小瑕疵，等她失望之际再来一番夸赞，这种心理落差会让她迅速产生好感。

每个人的内心中，对自我的评价都有一个相对较高的预期值，由此也会下意识地认为"他人的评价"跟"自我的评价"一定是会相吻合的。先贬后褒的谈话方式，就等于说是把对方的期待值降低，当一个人的自我期望值不那么高，他人的稍稍一赞美，便能够取得效果。

被宠坏了的孩子永远对"受宠"过分贪心，想要他意识到"被宠"的可贵，先得让他受点冷言冷语。

追女孩唱赞歌，OK，没问题，前提是，选在什么时候唱，直接决定最终的效果。

不少恩爱夫妻，在接受访问时会笑言："我们初次见面时对彼此印象极差，完全没把对方当回事儿。没想到日后的相处中竟然慢慢爱上了……"

这就对了。

因为之前没有给彼此一个过高的心理预设，交往起来自然会更放松。一旦情绪放松了，感觉慢慢会来了。

爱情最青睐由低至高的渐变过程，开头调子起低点，感情来得才会更快点。

前提是，宠一个人，也要沉得住气。

出门在外交际，总得要不断地去称呼不同的人。
中国人讲究年龄辈分，不同年龄得用不同的称呼。
有时候稍稍打乱下辈分称谓，会让你事半功倍。

称呼的妙用

如何去说服对方？

职场关系中，时时处处能遇到这样的命题。

不少人会有这样的尴尬：之前准备了一肚子的锦言妙语，信心满满地去说服对方接纳自己，结果话没开口，几句不到对方就把嘴给你堵死了，三个字"没门儿"！

怎么办？怎么办？！

呵呵，有些时候，当你一开口，已经注定了败局。

不少年轻人，遇到年长的客户，为了显亲切，在办公室以外，会称呼对方"叔叔""阿姨"。以为如此能获得对方更多温软的好感。

实则不然。

当你在称呼上把自己降到了晚辈的位置上，如何，还能获得跟对方平等对话的权利呢？

同理，一个年长的人，若想获得晚辈的好感，称呼，也是很关键的一环。

见过一位父亲，跟儿子关系极融洽。即便儿子处在青春叛逆期时，也依旧跟老爸保持着哥们儿一样的友谊。这位父亲，每次在跟儿子聊天时，会称呼他"先生"，平时他也不从喊儿子的小名儿，永远会直呼儿子的大名。

拉近彼此的年龄距离，这更容易获得对方的好感。人更容易对跟自己身份接近的人敞开心胸，对对方的话接受度更高。

现代人的称呼流行"大哥""大姐"。三十左右的姑娘小伙，常爱称五六十岁的中年男女为"大哥""大姐"，被称呼的一方脸上乐开了花，这么称呼显得年轻。但"年轻"之外，更是一种距离的拉近。这相当于"沟通"的预备动作。

当一个跟你年龄差距还蛮大的人，开始对你用平辈的称呼，这意味着，接下来，他（她）想要敲开你的心。

人的年龄越长，感觉功能越弱化。
凡事都没感觉了的男女，是因为太多的经历，把感觉挤到了角落里。
想要找到"感觉"的影子，给自己的心灵发发电吧。

感觉也需人工发电

典型的好莱坞模式是：帅哥＋美女＋惊心动魄的奇幻之旅。

回到生活中来看，周遭的帅哥美女却极少这样地浪漫惊喜。帅哥美女，这个时代不稀罕，收拾打扮妥当，谁都有点小惊艳。但N多的帅哥美女在轮番打过照面之后，依然还是会说一句烂俗的话：真的没感觉……

从心理角度看，记忆，都是分类存放的。

初恋情人让你一世不忘，那是因为在"爱情"一栏里，他是排第一位的。

第一次领薪水的激动会牢记良久，因为在"职业"的分类里，这是最上面一层的。

第一次的牵手，第一次的亲吻，第一次为了一个暧昧的异性伙伴欺骗妈妈……这些事你忘不掉，这些人你会记一辈子，因为每当想起此类经历的时候，那人那时，都会是你第一个想起的……

不容易动心，是岁月不饶人了。

美容技术越来越发达，你的脸，可以欺骗很多人。但那颗心，会被岁月清算得仔仔细细。

剩男剩女总是越剩越大。这个时代的男男女女，谁都不肯屈就一段"没感觉"的感情。

他们不知，随着年龄的增长，"感觉"会渐渐老去。见得太多，心里装的东西太多，越少了专注性。

人经历得越多，感觉越不灵敏，当所有的人生分类里都有了满满的内容，越后放进去的人和事，越会被挤到最底层。

经历了若许，当你已然不再青葱。还想找一个人恋爱，并且，想要爱出感觉。那么，不要过分期待"自然来电"，可以尝试下"人工发电"。

不要培养感情，要培养感觉。

培养感觉最好的办法是：想尽一切办法，去找些从未做过的事，与他一起经历。

有些人是相亲杀手。有些人是相亲高手。
大致相似的相亲宴背后，总有着大不相同的相亲手法。
相亲成功率的高低，全源自你会不会介绍自己。

好印象从何而来

女博士嫁人难，这是个社会通则。

有个"女博士相亲团"的成员说："对方一听说我是博士，马上就一脸的'不感兴趣'了。难道女人的高学历就是罪过吗？"

女博士嫁人难吗？是。

所有女博士都嫁人难吗？肯定不是。

那些相亲屡屡失败的优质女们，往往是她们没学会怎么去聊天。

如果不幸，你是个极差条件的女人；如果不幸，你是个极好条件的女人。

没关系。只要懂得如何去叙述排列自己的这些条件，都会收到惊喜的结果。

如果你既非高知又非白领，家境一般，相貌平平，没关系，初次见面，挑自己身上的优点去介绍。也许你很有爱心，常常收留流浪猫；也许你很勤快，总把屋子打扫得光鲜；也许你很乐观，巨大的生活压力下依旧每天笑容灿烂。

如果你既是高知又是白领，工龄与年龄齐高。没关系，初次见面，挑自己身上低调的优势去介绍。也许你厨艺不错，有贤妻良母的资质；也许你舞艺不错，拉丁跳得极棒；也许你心灵手巧，业余时间爱做点十字绣。

初次见面，要避免生硬的条件叙述。要着重介绍自己的"软实力"。

一个人在对另外一个人的认知过程中，对方身上的种种条件，越是靠前得知的选项，越容易记忆深刻，同时对他作决定的影响便也更强。

同时，一个人对他人的认知，往往也只能够记住对方身上的前三至五项重要要素。

所以，先让对方了解你哪方面的特质，决定彼此间相处是否会顺利。

真喜欢一个人，那就不要对他太好。
你一个人的好，会为他招来天下人的羡慕嫉妒恨。
这才是他最惨痛的压力。

喜欢他，先学会"漠视"他

有这样一个男孩，喜欢上了单位里新来的一个女孩。每次当她因业务不熟练被批评遭遇尴尬的时候，他都会挺身而出替女孩讲话。

他仗义执言之后，周围同事会识趣地窃窃一笑而散。

每次女孩也总是脸膛微红不吭一声地走掉。

他自我感觉良好：女孩子不都喜欢敢为自己出头的男人吗？！假以时日，总能抓牢美人心。

一次，女孩张冠李戴，误把上司交付的正式合同文件跟某同事的草拟合同搞混了，一份重要文件就当成过期资料丢进了垃圾桶，遭上司狠批。那水汪汪的眼睛几欲垂泪。男孩再度挺身，仗着自己金牌业务员的身份向上司讨情。

结果出人意外的一幕发生了：女孩突然转过脸，用无比愤怒的目光盯紧他，一巴掌狠狠地甩到男孩脸上，疯掉一般地冲他咆哮："我哪儿得罪你了！为什么有事没事地给我找尴尬？！"

……

大部分的人，对一个人好，都像这个男孩。想对一个人好，却不知如何才算对她最好。

对一个人好，不要"好"得太直白。

太直白地对他好，往往换不来对方的好感。

一个人在众目睽睽之下突然对你好，跟一个人在众目睽睽之下突然对你坏，同样令人尴尬。

不论是善举还是恶举，被周围人的眼睛聚焦之后，都会数倍放大，当事者承受起来会有所力难从心。

真心喜欢一个人，不要时时处处都对他那么好。

领导真器重一个人，常会在人前挑挑他的短，否则，夸赞说得太多，会为他招妒添乱。

女人真喜欢一个男人，懂得在人前放他去表演，不论演好演砸，她只做观众，不做拍档。

不想给他压力，要学会在人前适当地"漠视"他。

先疏散你的"关注"，才真正能减轻他的"压力"。

从大学开始，女人会拥有自己的第一支口红。
从初恋开始，女人也会拥有自己的第一套化妆品。
女人用化妆术征战情场、征服男人，殊不知，男人其实不吃这套。

最讨喜的妆容

曾经有人说：女人在外出时给自己化个妆，是一种礼仪，对接下来的会面者也是一种尊重。

也许，精致的妆容是一种社交礼仪。但不见得这种礼仪每次都能有最不错的效果。

化妆的女人具有更多的交际手腕，有趣的是，不化妆的女人却常能够博得他人更多的好感。

曾经有心理学家指出：那些最具亲和力的人，往往是那些脸型较瘦、脸色红润，微微带有黄色色调，或者脸色明亮的人。最不受欢迎的人往往有一张肥胖且苍白的脸。

　　一个盛妆华服的女人，即便美艳，即便亲善，总是很难让人产生第一眼的好感。

　　就好比偶像剧情节惯例：女一号大多清秀素淡不施粉黛，女二号却总是艳丽无匹铅华精致。往往，美艳的女二号赢不过素淡的女一号。男主角无一例外会选择灰姑娘、放弃美艳的公主。

　　女二号们不理解。观众们也不理解。

　　女人都觉得，自己浓妆艳抹陪在男人身边，是男人的面子。

　　是，男人有面子没错。但面子的背后，始终有一份隔阂，让人亲近不得。

　　我也常常化妆，也最讨厌化妆。浓妆之际站到镜前，发现五官和表情会变得僵硬。

　　妆容，不论它有多美，始终是女人的面具。

　　跟不熟悉的人见面，我也会精心修饰。

　　精心修饰的背后，始终是一种疏离。

　　而为一个人洗去脸上的铅华，那一定是走进了我心里的人。

　　当一个女人开始为一个男人化妆，也许是她心动了。

　　当一个女人开始为一个男人不化妆，那才真是她把心交出去了。

　　女人的美分千千万万种，让男人动心的也许是浓妆淡抹铅华相宜。但最让男人动情的一种则是———脸清爽、一脸亲和。

女人邀请男人回家，一定是为了向他展示自己的贤惠能干。
男人邀请女人回家，一定是想进一步了解她的"身材尺码"。

单身男人的家门进不得

不少淑女说，自己遇上了"流氓"。

"打着'友谊'的旗号请我吃饭，饭后又打着'参观'的借口邀我回家。结果一进他家门，我就成了被恶狼扑食的小红帽。女孩的清白，就这样随随便便被一个不相干的男人夺走了！恨恨恨！"

单身男人的家门，轻易进不得。除非你心里早已准备好了要跟他开始一段故事。

跟异性的交往，一定要恰当地掌握分寸。否则就会让那些别有用心的男人对你没分寸。

一个单身女孩子，跟异性吃饭也好、郊游也好，如果你对他还没有以身相许的意思，不要轻易踏入他的卧房门。

随便邀请一个无亲密关系的异性回家，不仅没有礼貌，而且还有很强烈的亲密关系暗示性。男人会把女人是否答应跟他上楼，当成是可否进一步上床的根据。

虽然在女人心目中，去他的家里，仅仅是参观下屋里的装修摆设。

但在男人心目中，一个女人肯迈进他家的门，他就有信心把她弄上床。

他之前邀她吃饭也好，邀她出去玩也好，其实都是在试探，他想看看到底可以对她做到哪一步。

但女孩子，随口答应了去他的卧房，这其实就意味着，他对占有你，有了必胜的把握！

家，永远是一个人最私密的空间，一个人愿意向异性展示这个空间，其隐含的心理，不外乎是想把他（她）发展成这里面的人。

如果说，一个善于侍弄家务的女人，还愿意把房间摆设当成是交友手段，希望更多朋友来欣赏自己的手艺的话，那么对于并不是善于收拾家务的男人而言，家，就仅仅是一种强烈的性暗示。

女人，不想轻易上男人的床，首先第一步先要做到，别轻易答应跟男人回家。

男人爱性感美女。
男人爱娶知性淑女。
欲望是男人的本能。但克制欲望是男人婚姻的出发点。

男人爱娶谁

　　一份关于择偶标准的报告显示：男人最喜欢的伴侣职业是教师。一个从事此类工作的女性，往往容易获得男人婚姻的承诺。

　　听到这儿，大概那些性感的空姐、美艳的模特要纳闷了："不是说男人好色吗？为什么我们会输给那些一脸古板的女教师？！"

　　不妨来看一则研究：科学显示，一个在整洁有序、条理明晰的家庭环境中长大的孩子，功课学业成绩总会格外优秀。原因在于，人的大脑，也是更喜欢整齐有秩序的环境，在这样的空间里，能被激发出更多的聪明能量。

　　所以，人们择偶时，总要考虑对方更多的家庭环境因素，除了简单的"物质"考虑之外，更多的是在了解这个人性格深处的内容到底是什么。

　　回归到主题。女教师给予别人最直观的印象是一种规范性和秩序性，通常大家会觉得跟她们相处起来，会更有安全感。她们的职业特性养成了相对理性的个性习惯，通常在情绪上不会忽高忽低如过山车般起落不定。

　　男人女人都爱说："一旦爱上了，人都会做傻事。"

当然爱上一个情绪波动剧烈的人，人做傻事的概率会更大。因为这种情绪上的无秩序性，会让彼此一起无法自控。

恋爱是需要起伏，但一个让恋爱只有起伏的女人，男人不敢娶她。太闹的女人，会让男人丧失思考能力，这种思考力不可自控地衰退，对男人而言是最恐慌的事。

女教师不见得有多性感。但至少，那是天天在讲理的女人。一个女人可以讲理，对男人而言，才是能过日子的对象。

恋爱，女人更需要热度，男人需要适当的冷度。

最好玩的恋爱是一场迂回战。
会玩的男人女人们，会绕着弯子去玩"追"与"被追"的游戏。

爱情的最后一道测试题

曾经，女人最痛恨的男人是"三不男"：不拒绝、不接受、不承诺。

但女人中也有"三不女"，同样是：不拒绝、不接受、不承诺。

每个女人，在初恋时分，面对男人的追求，都充当过这样的

"三不女"。

他紧张地向她表白，她紧张却也淡漠地不置可否。

女人第一次对男人的求爱表示同意，总是默许的。

不过男人常常把这种"默许"理解为"拒绝"。

一个女人，如果真遇到反感男人的追求，才懒得顾忌他的颜面，会直截了当跟他说"NO"！

一个女人，开始顾及男人的面子，说明她心里已然有他。

只是，还不到彻底点头的时候。她的"不拒绝不接受不承诺"，其实是考验男人的耐性。也是她为爱情设的最后一道测试题。

不过，通常能过得了这最后一关的男人少之又少。

很多女人嫌男人没耐性："他说追我，可追了三五天，便消失无影了。"

女人觉得这些男人不是真的爱她。

但女人哪知道：男人即便真的爱她，也真的需要她的鼓励。

其实男人女人都一样：如果真心在乎一个人，会很在意自己在对方心中的形象。

如果一个男人追一个女人，屡屡得不到肯定的暗示，他必然要在最短的时间内撤离。否则，人家对你没意思，你还紧追不舍，这是男人的羞耻，尤其还是在他喜欢的女孩面前。

所以，如果你喜欢一个男人，又不想那么快被他追到，切记，每当他追你追到失意，要给他几句肯定和鼓励——只有让他觉得自己快要成功了，才有继续追下去的动力。

另有一种男人，不论你对他有意无意，他都穷追不舍。通常女人会觉得这样的男人才是实心实意地爱她。

这样的男人是癞皮狗。

而癞皮狗最爱的不是你，是征服。

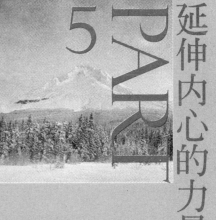

PART 5

延伸内心的力量

男人那点心思 女人那点心计

❀ 走到哪里，都常听一句话：心态很重要。心态好，一切都好！

每个人每天常要讲几次，讲完后，依旧心态不好地继续生活。

心态不好，到底是个什么概念？

可能很多人没想过这个问题。

有人日日焦心，办公室里一同入职的员工有两个都已经升任中层了，自己一个基层主管的职位一干两年还无甚动静："凭什么，我哪一点输给他们？！"

有人天天揪心，男友身边的异性总是太出色："他的前女友比我漂亮，他的前前女友比我身材好，就连他的小师妹都比我像芭比娃娃！"

还有人总是烦心，邻居个个都盯着自家那个不成器的儿子："张太太的儿子读博士，贺太太的女儿留学英国，韩太太的儿子是大学教授，可我儿子连考大学也落榜！唉！"

……

活着，真是不容易，因为要操心的事太多：要比别人强，否则面子上不好看；但又不能比别人强太多，否则容易引小人嚼舌……难啊难！

这么多难事看下来，这么多心操下来，心态如何好得了？！

心的容量有多大，决定人的出路有多广。
每个人都在讲"心态"：心态好，一切才好！
可心态如何，才算好？
心态的"态"字里，暗藏着玄机。

心态不好，说穿了，就是心太小了。
心态的"态"字，拆解开来，就是心大一点。
心若每天大一点，心态还怎么会不好？

热情可帮你拓展人脉。孤静能让你沉淀内心。
有些成功者有蓬勃的爆发力。
但有大成者，内心中，总会有股安然的静力。

安静的力量

徐志摩的诗里写道：最是那一低头的温柔，像一朵水莲花不胜凉风的娇羞……

《倾城之恋》里，范柳原调侃白流苏说："你的特长是低头。"

……

一个爱低头的女子，总有别样的风致。

在异性眼里，低头间的那份柔敛，代表的是她性格中最深切的女人味道。

生活中，喜欢低头的人，不仅仅是女人。

一个喜欢常常低头的人，说明了他内心的为人处世的慎重。这样的人喜欢平和、交友谨慎，同时也有踏踏实实的作风。

昂头的女人活泼，低头的女人温柔。

昂头的男人自信，低头的男人深沉。

昂头间，你给了世人几分蓬勃的张力。

低头间，你给了对方一份踏实的安全感。

事实证明，那些自信满满的人，有时不见得能得到他人的喜欢。反而是那些凡事谦和的人可以指挥得了别人的笑脸。

低头垂颈间，那是一种寻求宁静的姿态。

懂得安静的女人，总是更容易让男人生出爱慕的心。

信守安静的男人，总能获得女人更多的青睐。

这是所谓内敛中蕴涵的力量。

我们天天仰望着人群、仰望着天空……眼中是纷繁芜杂的形色。

眼睛看到得太多，脑中越只会空白。

当你觉得把握不住自己的心，当你对自己的判断力感到吃力，当你觉得对方开始对你皱眉头，那么，轻轻低下你的头。

脚下的世界，虽然色调不算极美，但那份安静的力量，能指引你走得更远……

爱说"低调"和"淡定"的人，大多既不低调也不淡定。
低调、淡定，对多数年轻人而言是个笑话。
它们背后所蕴涵的，是阅历修炼出的狡猾。

沧桑的淡定

这两年流行两个词：一个是低调，一个是淡定。

谁让现在的人越来越不低调、越来越不淡定了。

总能听到长辈教育晚辈："做人不要那么张狂，要低调；遇事不要那么浮躁，要淡定。"

晚辈常常是不屑。

每个人都觉得自己够低调、够淡定了，虽然别人眼里，他依旧那么张牙舞爪。

现代人把"低调""淡定"当成口头禅，就好似见面时的"hello""你好"。越是开着玩笑、打着哈哈讲"低调"的人，越会一脸的得意张狂。

这个世界上，百分之九十九的人，是低调不了、淡定不来的。

高调过的人，才能学会低调。

张狂过的人，才能理解淡定。

一个人低调，是因为他有自信：自己可以随时高调。

一个人淡定，是因为他明白了：已经没有事情可让自己抓狂。

人总是要成长的，沧桑的背后，一定会有更多的领悟。

摔过跟头的人，一定懂得"低调"。

因为他明白了：高调就等于为自己树敌。

经过世情的人，总会活得"淡定"。

因为他懂得了：人生早已写好，不淡定也无别的法子。

低调吧，淡定吧。实则，都是人生无奈的归宿。

年轻人不必急着低调，亦无须装着淡定。

年轻时我们装低调，等年老时发现，想高调，已经没有那个气力了……

在女人看来，时间让女人慢慢变老。
在男人看来，时间让女人慢慢变态。
剩女摆出郁郁自怜的姿态，男人只会掉头逃窜……

孤独是女人的天敌

曾经形容大龄未婚女，有个很不好听的词——老姑婆。

给人的感觉是：尖刻的，凉薄的，多事的，善妒的……

随着时代的发展，文化氛围相对更为人性化，"老姑婆"一词逐渐退场，取而代之的是现如今大肆流行的"剩女"。

一个女人，三十未嫁，落寞中透着些许矜傲。

剩女，是城市化的产物，也是坚决不向现实屈服的爱情理想。

女人心中，总有自己的一段清高。

只是，在男人心中，这份清高不见得能换来尊重。

在女人看来，时间让女人慢慢变老。

在男人看来，时间让女人慢慢变态。

周围即便是剩男，提及剩女，也纷纷表示："不敢招惹。"

其实不纯粹是男人偏爱美少女的色心，他们总觉得，一个大龄单身女的身上，总有一种气质，拒人于千里之外。

调查中显示：二十岁左右，是女人一生最漂亮鲜嫩的时候，这份漂亮在二十七岁时会到达巅峰状态。此后，过了二十八，女人自身的美丽状态，就开始走下坡路了。这个阶段以后的女人，若在生理上失去平衡，那属于女人的柔性特质便会更为迅速地消失。这其中，尤以单身女人最为突出。界定"剩女"的年龄标准，是以二十八岁为限。这是关于女人自身的生理指数。

所以现实中总是如此。

当一个男人开始憔悴，说明他身边有太多个女人在争绊。

当一个女人开始憔悴，说明她身边缺少一个男人的陪伴。

可是如今很多女人走入了一个误区：总觉得二十几岁时应该尽全力拼搏，成为人上之人，届时，这份资本，能够帮助自己遇到更不错的结婚对象。

当然这份想法在现实面前纷纷溃败。

对男人而言，物质的资本 = 婚姻的资产。

对女人而言，青春的资本 = 婚姻的资产。

男人三十岁前，可以事业为重。

女人三十岁前，尽量要把婚姻排第一。

社会现实逼迫男人不得不先立业再成家，但生理问题却提醒女人——不妨先成家再立业吧。

正常的两性生活，可以令女人的美丽留得久一些。一个人的美丽，即便丰艳，也美得空洞。

形单影只的日子，会令女人枯萎得更迅速。

如果可以，女人，不要一个人去生活。

常有人问我："女人最大的竞争力是什么？"
每次我都回答："与众不同的个性。"
不必过分追求出色，但一定要做到出众！

无可取代的位置

每个人身边，总有一两个真正在乎你的人。

这个真正在乎你的人，对你是有占有欲的。

不是要占有你的全部，只是想占有你生活中某个部分的独一无二。

他可以允许你身边有一百个与他不同的朋友，但不允许有第二个与他相同的朋友。

人的嫉妒心，不是嫉妒比自己强的人。而是嫉妒跟自己相同的人。

只要又出现了那么一个人。

他会有被抛弃的感觉。

爱情，友情，亲情……不见得会嫉妒比自己优秀的人，却总是很难接受一个与自己"相近"的人，这种"相近"，是最强烈的威胁，意味着，你也许会随时下岗。

《红楼梦》里林黛玉，可以忍受内藏奸狡的袭人夜夜为宝玉侍寝，却偶对脾性相貌相仿的晴雯有小微词、小吃醋。

她知道，一个女人在男人心中最终极的竞争力，并不来自她是不是最美最出色，而是来自她是不是独一无二。

宝钗丰艳，宝琴比宝钗更丰艳，都无碍。她们与她，不是同一类型。

唯有晴雯，与黛玉最像。唯有晴雯，也能像黛玉一般调动起宝玉的喜怒哀乐。

这才是真值得另一个女人警惕的信号。

一个女人，站在他的身边，是不是最好，并不最重要。

最重要的是，你具不具有无可替代的位置。

做大事的人必定没有小琐碎。
琐碎的心境、琐碎的事，会扼杀掉人最优质的天分。

别被琐碎扼杀了你的天分

很多人觉得：掌握资讯，可以让自己做事更方便。

是啊，这话不假。

可不少人错误地理解了"资讯"二字的含义，把它同"小道消息""他人隐私"画上了等号。

中国人离不开饭局，饭局上离不开"小道消息"。吃的是山珍海味，品的却是家长里短。

每每告诉那些管不住大嘴巴的姐妹们：

一个人的讲话，若总是不离他人私隐，且所说的内容总能让你时时有惊讶。

离他远点。

否则，下一个被出卖的，就是你。

不要一头扎进是非堆，不要扎堆讲是非。

虽然你也许觉得"讲是非"是最容易让对方敞开嘴巴的途径，但确确实实，是非讲得太多，心会变得浑浊。

人心只一拳，别把它想得太大。

盛下了是非，就盛不下正事。

很多人每天忙忙碌碌，一事无成，那就是对细枝末节的琐碎关注得太多。

米可裹腹，沙可盖屋，但二者掺到一起，便是最廉价的杂米。做人纯粹点，做事才能痛快点。

心若一潭清水，便可容量无限。

心若一潭浑水，便只能整日无闲。

身若累了，不过一身臭汗。

心若累了，人生不再会有奇迹。

有人问我："每天面对繁杂的工作量，会心累吗？"

想了又想，还是觉得"不累"。

那人好奇："到底如何做到让自己不累？"

"把焦点只集中在你的内心，其实事情会变得简单很多。"

有些人想活得风光。
如果做不到，他想活得舒服。
有些人既想活得风光又想活得舒服。
不过，这注定是做不到的。
风光还是舒服？
这是道选择题。

要风光还是要舒服

有一道最俗的选择题：人要活得风光还是要活得舒服？

通常大多数人嘴上会说："活得舒服就可以了，踏踏实实足矣。"
但其实他们心里会说："人不风光，枉活一世。"

人人一颗野心，人人嘴里又都最不愿提及这颗野心。中国人的行事中，功成名就，该是上天的垂赐，身为凡人不该随便妄想，否则惹人讥讽。

赵本山曾经说过："没成名之前，就想着如何才能红；成名之后，就想着假如有一天不红了可怎么办？"

没错儿，成名之后的惶恐，滋味更甚。

足见，一个活得风光的人，一旦抛却了"风光"，终其一生，也难再有舒服可言。

曾有位女读者来信诉苦，男友折磨得她心力交瘁，缘由是，男友曾经出身富贵，从小锦衣玉食养尊处优，奈何大学时家中发生重大变故，从此中落，贵公子从此变了穷小子。此后的多年，这位贵公子一心想要重拾往日富贵，皆因自身能力有限而无法实现。

他对女友说："我们虽然相爱，但终究是无法有结果的。因为我们穷男穷女结合在一起，将来只有更加穷困的日子。结婚，我一定会要更有钱的对象。我不会甘心，一辈子潦倒！"

唉，不能单纯地说这位昔日贵公子势利薄情。皆因从小的出身环境让他无法面对由奢入俭的生活。就像吃惯了燕窝的人，突然改吃银耳，总觉得有点不对味。不见得是滋养的效果欠了多少，只少了享用时的那份尊贵，滋味便减了大半。

当然，对大多数的百姓而言，一旦舒服得太久，也不会再有人去追求风光。

既然燕窝银耳差不了太多，吃一年燕窝的钱足够买一世的银耳，何必费那些辛苦？！

温水最蚀刚性。舒服惯了，没人愿再去冲锋陷阵！

不过，这也是一种选择。

人生一世，活得舒服，也是最大的获得。

多数人无助的时候，会烦闷、哭泣、大吵大闹。
也有人无助的时候，会想到去学点东西。
于是，大多数人是凡人俗人，极少数人是高人能人。

无助的时候你在干什么

当你无助的时候你在干什么？

小乔蒙住被子偷偷啜泣。

老良躲到暗处喝闷酒。

安蓓为了掩饰脆弱佯装强硬地对男友大吵大闹。

……

于是多年后，每遇到无助，小乔都会有一双肿桃眼。

人还未老，老良的各项健康指标就越来越差……

不久后，安蓓的男友忍无可忍地跟她提了分手……

每个人都有最无助的时候。

彷徨无助，是生命进程中再正常不过的新陈代谢。

人之所以无助，是因为遇到了凭一己之力难以逾越的难关。

这个时候，你哭你醉你闹你骂，又能有什么用处？

每当无助的时候，不要把时间用在"惶恐"上面，不妨去学习一样东西。并把这当成习惯。

当被同事抢了功劳，别把时间浪费在咒骂上，跟着电视学一道小菜，能保你今后几十年餐桌上更有营养。

当被老板无端责骂，别把时间浪费在揪心上，打开音响学一支歌曲，当歌唱熟了，心境自然也开阔了。

当被社会竞争袭压，更不该把时间浪费在买醉上，买上一本书，里面总有项知识将来能被你用得到。

……

学习，是抵抗惶恐无助的最佳克星。帮助你分散对未来的不确定性；坚定你对自己的信心；更可把时间利用到最佳值。

无助，揭示了人生的短板。

快乐的时候，人可以稍事放纵，当你感受到无助，这就是来自上天的信号：该给自己添点料了。

无助，可以使某些人变得强大，却只能使多数人越来越卑微。

这全取决于，无助的时候，你在干什么。

有些微笑是甜的。有些微笑是苦的。
很多人脸上笑得太甜，是因为心里实在太苦。

微微一笑很伤神

都市里，最流行的表情，有一种，是微笑。

走在写字楼里，走在商场超市店铺里，一张张笑脸扑面而来。即便对面的人早已忘了姓名，但人人的脸上，始终是久违般的微笑。

都市里的笑，发自内心的少。

笑，也成了一种负担。

有次见个很温婉的女孩子，笑起来很好看，于是她也一直很好看地在微笑。

告别之际，忽然问她："真的有那么喜欢笑吗？"

她的笑容突然一滞，整张脸瞬间暗下来，转眼间泫然欲泣。

她其实不是个爱笑的女孩。但不知为何，一到人前，会不由自主地展现出微笑。有时候笑到脸部肌肉生疼，"回到家里，我从来没有过笑容。每天八小时的微笑，让我只有反胃的感觉"。

微笑，也是一种都市病。

微笑，不一定是因为心里只有快乐，也许是因为心里面有伤口。

无时无刻不在保持微笑的女人，过分关注自己在别人眼中的印象。她小心翼翼，生怕惊吓到了谁、生怕得罪到谁，于是端起一脸的笑。但那种带有讨好味道的笑，累人又伤神。

时时刻刻都在展现完美的人，要么极自恋，要么极自卑。

越是心底有自卑情结的人，越会刻意保持自己在别人眼中的好状态。她害怕给别人挑剔的机会，害怕被别人指出了缺点。于是先行一步，用微笑去讨巧对方的心。

有些人，微笑时，对世界会有微微的俯视。那是自信的微笑。

有些人，微笑时，对别人会有轻轻的仰视。那是自卑的微笑。

其中的区别只需一点，想想看：你在微笑时，心里面的主人是谁？是你？还是对方？

微笑，确实是一个人最有魅力的时刻。

但前提是，你的心，要有掌控这微笑的能力。

真正的体贴，是让你意识不到的。
能让你感激到涕零的体贴，都不过是收买人心的手法。
别人对你好，要记住。
同时要留意：哪些好，是出自真心；哪些好，是有其目的。

真正的体贴，你意识不到

　　曾经一段时间常去一家公司办事。负责与我交涉这项业务的相关部门，有两个人印象很深，老谢和老罗。

　　老谢为人热情，未开言，声先笑。为了客户可以跑前跑后忙上忙下，是公司里出名的热心肠。据称某位客户因是否签单跟他犹豫良久，后来凑巧那位客户的父亲生病住院，老谢天天让老婆在家做好晚饭亲自给客户父亲送去，坚持了半个多月，直到客户的父亲出院。后来这位客户感动到不行，不仅当时那笔生意签给了他，之后一年的业务也都签给了他。

　　老罗不同，老罗为人极为素朴，乍看之下，甚至有点冷漠。交际应酬能免则免，但他接手的工作能做到一丝不苟。还别以为老罗这样木讷清高的人在职场上机会会少，跟公司的金牌员工老谢比起来，他的业务量一点也不逊色。这一点，连老谢也偷偷地纳闷。

　　那是当然，比如像我，就更喜欢跟老罗打交道。

　　热情，不是不好。但热情，不见得讨好。

　　工作这么多年，其实有点害怕遇上格外热情的人。每一份热情似火的背后，或多或少都带有点目的性。热情的人，目的就是要用自己的热情，左右你的判断和选择。

你对别人好，春风拂面的好，热火朝天的好，好到让对方觉得欠了你莫大的人情，最终为了还你这份情，不得不牺牲掉自己某方面的利益。

这样的热情，就是压力。

真正体贴的人，不会对你格外好。

他会静静等在一边，让你自己作选择。

中国人讲究"君子之交淡如水"。

真是懂得了处世的精妙：一碗清水，才看得出真心。

买东西会有各色的专卖店，那些不跑前跑后颠颠地在身后伺候的店里，我都愿意多去几趟。

不过分的热情，就是给了别人自己做主的机会。

虽然男人忙一点，女人才觉得他有魅力。
但一个男人总是对你说他忙得不可开交……女人，还是想想退路吧。

你会有多忙

男人觉得，不讨人喜欢的女人一定多事。每天口舌是非不断，像个泼妇。

女人觉得，讨人喜欢的男人一定事多。每天忙忙叨叨像个顶级要人。

可是谁都知道，现代人嘴里的"忙"，是种托词：推脱无聊的应酬；抵挡无兴趣的约会。

常常有女人来咨询：男友忽然变成了工作狂，日以继夜地赶进度，已经一个多月没来陪我了。这是什么意思？他真有这么忙吗？此刻我该怎么做才合适呢？是找他发泄下怒气？还是强忍愤恨佯装贤惠与理解？

嗯。前景不妙。

当一个人，找出这么多忙的借口，来拒绝与你的见面，这就是在隐隐地暗示你：我们分手吧。

这时候，女人越贤惠，男人越焦急：她怎么就这么迟钝呢？！

忙是托词。

人的悲哀总在于，明晰了这一点之后，则定会生出戳穿对方的欲望：女人会哭闹不休命令男人必须出现；男人会死缠烂打直到女人不得不露真颜。

一个人，面对你的邀约，总有忙不完的事情，那只证明一点：你其实在他生活中所排的位置并不太靠前。

一个人既然觉得全天下的事都比你重要，赖在他那里浪费时间，真是不值。一个没把你当成"重头戏"的人，识趣点，掉头走吧。

每个人来到这世上时都赤条条无牵挂。
每个人离开这世上时都牵肠挂肚放心不下。
不论最终放不放得下，人生的过程中，还是让自己一身轻松点好。

人生路上，别带太多东西

很多姑娘小伙爱找我聊"工作乐趣"的事儿。
年轻人似乎总能得出一个结论：工作真是一件巨无聊的事儿！

工作之所以让你感觉无趣，那是因为工作的时候，你带的东西太多。

比如野心。你要求自己一年升一级，三年工资翻两番，五年成为周围同学中的白金绩优股。

比如分心。一边骑着驴，一边觉得马比驴跑得更快。一边干着这家的活儿，一边觉得那家待遇更不错。

比如攀比心。一天到晚没事总琢磨单位小张小王小李比自己在老板面前更吃香。

比如不甘心。自己明明研究生毕业，却只派上了本科生的用场。

……

野心，分心，花心，不甘心，只让人有颗乱七八糟的心。

旅行时，行李越多，越没乐趣。

光顾着照看东西，就忽略了周围的美景。

工作中，心思太杂，效率越低。

如果人时时想着要权衡自己全方位的得失，不可能在某方面做到出类拔萃。

别带太多东西上路。

别带太多心思上班。

否则，真的干也干不好，玩也玩不好。

PART 6

婚姻背后的孤单

男人那点心思
女人那点心计

❀ 男人一生都需要一个"归巢"，婚前，这个巢是母亲，婚后，这个巢是太太。

同时，男人又总像孩子一般顽皮。他需要有家，但也常常不愿回家。不论多大年龄的男人，总会有"逃家"的冲动：年少时，他被母亲揪着耳朵拖回家；成年后，他被太太哭着骂着赶进家。

男人想留住某一样东西的时候，其做法，往往是，漠视这样东西的存在。

女人一生都需要一座"靠山"，婚前，这座山是父亲，婚后，这座山是丈夫。

同时，女人也总像公主一样任性。她需要靠山，但也总想这个靠山能成为自己最忠诚的奴仆。她需要有安全感的男人，但更需要让这个男人很没安全感。

女人想留住某一样东西的时候，其做法，往往是，绝不给予对方这样东西。

……

这就是男人女人的婚姻。

也许很多人都思考过"婚姻是什么"？

但很多人思考过后，还是愿意把婚姻想象成盛大的焰火晚会，自己是最夺目的那个主角。

于是总有些男女，在乍一进入婚姻之后，感觉被生活欺骗了。

皆是因为，男人女人的婚姻思路出了问题。

婚姻，是一场旅行。

你想玩得尽兴，首先，要看旁边的旅伴是不是高兴。

一个人的快乐，在婚姻中不会存在。

当你接过姻缘的红本，注定了，今生的快乐，必与另一个人有关……

婚礼是女人的时装秀。男人只盼望这场秀越快结束越好。
男人总嫌女人婚得太做作。但矫揉的背后，藏着女人多少的决绝！

婚姻的衣裳

提到结婚，女人想到的是穿衣服——婚纱、唐装、晚礼服……越多越好。

提到结婚，男人想到的是脱衣服——不论唐装还是西装……越快越好。

女人总用穿衣服的心态对待婚姻，所以女人的婚事格外费事。

男人总用脱衣服的心态对待婚姻，管他西装还是长袍，都是浮云哪！

不少准新郎准新娘，在婚礼前夕吵得不可开交，因为鸡毛蒜皮的琐碎。多数男人受不了女人的挑剔，结个婚而已，活活像被剥了一层皮！

而女人此时的心情，就是最后的一场人生秀。点滴的精细，幽微的完美，这是女人一生，最可名正言顺疯狂的一次！

女人的衣服，一件一件穿上，穿得越多，男人脱起来越费劲。

让他牢记：这媳妇可不是随便白捡来的。

也许她之前放浪过，也许她之前轻狂过，也许她之前遗憾过……都没关系，一场婚礼中，一件一件把之前丢掉的"衣服"重新穿回来，这是女人人生中一次脱胎换骨的重生。

每一次，看到精心挑选礼服的准新娘们，都肃然起敬。

一个女人，在婚纱上面如此挑剔，说明，她真的只希望结这一次婚。

婚前，是一个人的孤单。
婚后，是两个人的孤单。
那些孤单成性的都市人……寂寞，仅仅是因为没有张开你的双臂。

两个人的孤单

孤单，好似是现代生活的影子。

未婚单身时，一个人上班，一个人逛街，一个人乘地铁……每个人都试图与周围人保持起一定的距离，小心翼翼地划定着专属自己的势力范围。

结婚成家后，身边虽然多了一个人，但多少的夫妻，在行路过程中，一个在前、一个在后，牵在一起的手，不足多时，便被沿路的风景冲散。

很多人结婚的理由是：婚姻，可以让人不孤单。

很多人结婚之后会发现：孤单，不见得会因一纸证书而改变……

想要克服孤单，最简单的方法其实是——拥抱。

曾经，流行"吻别"。

多少新婚夫妻在表达他们甜蜜的时候，会说："每天上班前，我们会来个吻别；每天下班后，我们会先来个拥吻！"

随着时间的推移，慢慢地，人们觉得"吻别"这一套俗了、做作了。这些年来，说"吻别"的人少了、做"吻别状"的人也少了。

殊不知，一个拥吻，却恰恰是人类抵制孤寂感的最佳良药。

从心理层面解读人们对爱的满足需求发现，不光人的大脑有记忆，人的皮肤组织同样也具有记忆功能。这些有记忆的皮肤，对于人体间的肢体接触往往格外敏感。心理学上的共识认为："温柔的触摸"代表爱，"粗暴的触摸"代表伤害，"不触摸"代表忽略。

这一系列的肢体语言，皮肤组织都会在日常的接触中慢慢记牢，同时反馈到大脑中枢，促使人产生"爱"或"不爱"的情绪。这也就是所谓的肢体语言胜过口头语言的真谛。

美国曾经有过调查，每天拥抱四次的人幸福感最强。或温柔或热烈的拥抱，可以不断使得皮肤沉浸在爱的记忆状态。

有些人走路快，有些人走路慢——但相爱的夫妻，总能够彼此牵手找到适合他们的速度。

有些人喜欢拥抱，有些人不喜欢拥抱——但真爱上一个人，还是尽量多向他伸开你的双臂吧。

热恋时，男人希望能够结婚。
热恋时，女人希望能够继续恋爱。
现代社会的约会等同于消费。样样不离花钱事宜。
所以男人没钱的时候想结婚，为了省钱。
男人有钱的时候不在乎结不结婚，因为不差钱，多少姑娘都约得起了。

当爱情不再有"爱"

有这样一道选择题：男人和女人，在热恋时分，谁会更想要结婚？

不出意料，大多数人答："女人。"

每个人都认为恋爱中，女人更向往婚姻。实则恰恰相反，美国一家男性网站曾做过一项有5万多名男性参与的调查显示，超过八成的男士表示，恋爱时，是抱着"结婚"的念头的。

尤其热恋时分，男人会比女人更为感性。这个时候的男人，如果狂热地钟爱一个女人，会希望尽快跟她把关系确定下来，这样可以更踏实地去爱、更全面地去占有。但热恋之际的女人，绝不愿意轻易作出"结婚"的承诺，因为在爱得最浓烈的时候，女人会想如何更久一点拉长这爱的时间、如何能让此刻的激情凝固。

女人心里，婚姻一旦开始，浓情必然结束。

而这也是男人女人，对待婚姻最不同的态度。

于是。

当爱的激情逐渐淡化，大多男人会想到撤离。

当爱的激情逐渐淡化，更多女人会想到结婚。

可见。

男人挽留爱情的方式，是不断地开始下一段爱情。

女人挽留爱情的方式，是进入下一阶段的全新关系。

越来越多的男女，站在恋爱的转折口：前方，平淡的婚姻生活正在招手；身后，火辣的爱情渐行渐远……当爱情不再有"爱"，关系还该不该继续下去？

也许一个男人第一次见这个女人，就对她说："你像我未来的妻子。"

但一个男人的最后一次求婚，一定是迫于女人的压力，不得不作出的承诺。

女人终其一生，都致力于寻找一个当爱情淡去之后，还能够很MAN 地求婚、请她做他一生的新娘的男人。

当爱情终结时，女人都渴望一个肯为她负责的男人。

若实在找不到这样一个男人，女人会努力寻找一个肯为她付账的男人。

到那时，女人会狠下心说："我青春的损失，这笔账你该怎么赔？！"

不过好像，近几年，越来越多的男人也开始说这句话了……

想到婚礼，男人会想到"能花多少钱""能收多少钱"？
想到婚礼，女人想到的可就太多了……
如果说：搞不好婚礼，女人一辈子都睡不好觉。
你信吗？

婚礼质量决定女人一生的睡眠质量

曾经遇到了一对因为"婚礼"而吵到不可开交的准新郎新娘。

新娘希望婚礼能大操大办，盛大唯美得像自己梦中的童话。于是，提前小半年开始，大到婚礼场地、婚纱礼服、蜜月旅行，小至喜糖喜帖、花球花束、来宾次序……一点一点地雕琢细节，各式的婚礼方案被她推翻了重新再来制定……搞到婚前一个月，准新郎受不了了，跟她大吵起来："婚礼就是个形式而已！至于为一个婚礼搞到人仰马翻吗?！婚礼之后难道就不过日子啦！"

准新娘委屈:"我只是希望能有个难忘的婚礼。挑剔,是因为我从来没打算有'第二次'婚礼！"

小两口各执一词,互不相让。

面对这个问题,周围看客们分成势均力敌的两大阵营:

一派支持新郎:"结个婚而已！形式何必大于内容?！"

一派支持新娘:"女人谁不希望婚礼一生就一次！风风光光地嫁人是女人从小的梦想！"

……

大家问到我的意见。我只能说:"我支持新娘。"

这不是女性之间的互相安慰。从科学角度来看,一场让女人激情澎湃的婚礼,所带来的快乐绝不仅仅只是那一天而已。

美国的精神病学博士温迪·特劳克赛尔对 1938 位 42 ~ 52 岁之间的女性进行过一项睡眠调查,发现:曾经拥有过一场美好且印象深刻婚礼的女性,睡眠质量显然强过那些婚礼平淡的女性。同时,婚后她们的幸福指数也会更高。

于是便得出了一个结论:一场妙不可言的婚礼,对女人而言,不仅仅是记忆,也是健康的良药。

工作中,常常接触一些小怨妇。发现很多人都有个共同的特征:从婚礼那一天开始,就生活得不顺心。或是为了顺从婆家而被迫选择了自己不喜欢的婚礼方式,或是迫于经济原因不得不简办婚礼……婚礼时被迫委屈自己的女人,日后的生活中总会想法子把怨气发泄到家人身上。

婚礼，永远是女人心底最特殊的一种情结。这是女人一生中，唯一一次可以做"公主"的机会，穿上雪白的纱裙，戴上精致的花冠，接受着所有人的祝福……这一天，女人是绝对的人生主角。这一天，不会有任何人能抢到她的风头！

女人总是希望能够成为全世界的焦点，而平时的生活中，每个女人都无法真正地实现这个愿望。于是，婚礼，就成了女人梦想实现的地方。

常常提醒那些因婚礼而与女友发生矛盾的男性朋友：婚礼这天，别惹新娘。否则，未来的这辈子，她会给你好看！

不是男人有钱就变坏，也不是女人变坏就有钱。
都市中的出轨，是因为活得太闲。

闲来无事想出轨

现如今的出轨率越来越高，令男男女女对婚姻失去了信心。

曾经大家说"男人有钱就变坏"，如今成了"男人没钱照样可以有情人"。

女人开始对男人的自律性表示绝望，进而开始更为猛烈地攻击男人的本性："男人天生就不是好东西！"

嘘，不要这么极端。

也许有人出轨是因为贪欲，但这个时代里，更多人的出轨是因为内心的彷徨与无助。

出轨，反映的是人心中热情的丧失。

当人心底的目标感越来越模糊，会尽可能地想去抓住点什么。情欲，往往是一个人证明自身存在感的最佳途径。

压力，在如今的社会中出奇的大。当脑子里的那根弦紧绷到了极限，人会有种想要变坏的冲动。越是在沮丧的现实环境下，人越会有想要追求突破与开放的心境。尤其是男人，永远需要人生满足感。当在某一方面获得了满足之后，他会安于平稳的状态。否则，他会想尽办法用各种途径去拓展这种满足感。当然，对一个男人而言，满足感最重要也最简单的来源，无非是一个漂亮的女人。

另外，人的注意力总是需要各式各样的事情来填充。越是对人生充满热情的人，花心出轨的概率往往越小。越是有事可做的人，在情场生事的概率越小。

男人要有事业，女人要有事做。

抛开功利性质不谈，做一件你喜欢的事，可以帮你避开过多扰心的欲望。

184

结婚从来不是两个人的事。
搞得定老公，她定是个迷人的太太。
搞得定婆婆，她定是个幸福的女人。

婚姻"三要"，击退父母的阻力

两代人的婚姻观向来是矛盾重重。

就如同。

母亲觉得一个好儿媳起码得身体好。

儿子觉得一个好媳妇一定得身材好。

还如同。

女儿觉得好老公就是开着宝马来给她送玫瑰花。

母亲觉得好女婿就是开着宝马把冬储白菜给她送到家。

所以在生活中，不少朋友说过这样的话："一对夫妻，是分还是和，父母说了算。"

虽然现如今早已不是"父母之命、媒妁之言"的时代，虽然这样一句话听起来有那么些偏激，但是不可否认，在婚姻问题上，父母的意见参与，占了夫妻关系是良性还是恶性的一个极其重要的原因。

原本，父母应该成为子女婚姻矛盾的"消防员"，可现实是，父母却总在充当子女婚姻战争的"导火索"。

不少年轻夫妻都有共识，不管公公有多么叱咤风云，儿媳妇心里还是更胆惧婆婆；不管岳母有多么庸俗唠叨，女婿心里对她都要比对岳父亲近。

可见，婆媳关系，是婚姻关系的关键。女人想要捍卫婚姻，不仅要做个聪明的太太，更得学会做个聪明的儿媳。

聪明女人想搞定婚姻，不外乎"三要"点。

要接受身边这个人。

不论他是凤凰男，还是奶宝男，不论他身上是不是背个沉重的家庭负担，抑或是不懂生活辛苦。既然决定与这个人结合，那就全心接受他吧。但凡那些能被父母的阻力所压垮的婚姻，大多是夫妻中某一方的心里常有忽左忽右的摇摆。既然爱了一个人，那就接受他（她）的全部，并且尽量把他（她）想得好一点。

要在公平中适当体现"不公平"。

比如说逢年过节，孝敬两方老人的礼金得要等重。这种原则性的问题必须要体现公平，但平时的礼物，则可以适当地显示出你的"偏心"。有个朋友，她专爱制造这种"偏心的假象"，给婆婆买了毛衣，她会说："这衣服就您穿才合适，像我妈那样的肤色黑，穿了也不好看。"给妈妈买了化妆品，她则说："您女婿说了，您这么时尚，一定得好好保养，这可是我们专为您买的面霜哪！"结果，婆婆乐了，岳母也乐了，女人最爱被夸，老年女人也不外乎此！

要在父母面前"巧表现"。

有位女读者来信时说:"我老公专好'挑事儿',在我们小家里,他从来不干活,但一到了我婆家,他就开始表现了,洗碗扫地倒垃圾,勤快得不得了。结果婆婆就对我特别有意见,老觉得我平时指不定多委屈她儿子呢!"我其实理解这位丈夫,他也是想在父母面前多尽尽孝心,只是却无形中挑起了事端。子女是父母的心头肉,谁都舍不得让子女吃一点亏,所以,夫妻间该有这样的共识:到婆家,媳妇就该多干活;到了岳母家,换成女婿来表现。给各自的妈以心理安慰。

当父母的阻力袭来,夫妻别自乱了阵脚。两人抱成团、相互协作,才能打赢这场婚姻保卫战!

有人觉得"家务"就是劳动,于是这部分夫妻在家务劳动中吵得不可开交。
也有人觉得"家务"可沟通感情,最后这些夫妻总是恩爱到人生百年。

会做家务的女人最性感

曾有一句网络流行语,被女同胞们广泛传诵:老公负责挣钱养家,老婆负责貌美如花。

于是，不少女人在家里，看得最多的，是镜子里的自己，其余，一概不管。

女人的道理是："只要我漂亮，就有婚姻竞争力。"

实则，婚姻的竞争力，哪儿这么简单？！

就像老话说的那样。

男人镜子照得越多，对老婆看得越少。

女人镜子照得越多，对孩子管得越少。

那些曾经只负责貌美如花的女人，可要听好了：也许你家里有保姆 24 小时待命，女人也永远不要跟家务说"永别"，在男人眼里，一个正在做家务事的女人，身上会散发出一种传统的性感。

别以为男人都只爱坏女人，对于那些老公来说，一个贤妻，永远是终极的人生理想。

聪明的女人，懂得巧妙利用"家务活"来增进夫妻感情。

那些不够聪明的太太，会一天到晚忙到心力交瘁，老公却是一脸茫然："你在做家务吗？"只会独自工作的女人永远是不受宠的。

家务工作，是夫妻间重要的感情交流平台。现代职业夫妻，每天十多个小时是忙各自的工作，回到家里，如何进行有效的情感沟通便是个重要的命题了。

越是如胶似漆的夫妻，彼此间一定是有更多共同生活交叉点的。一起洗碗，一起购物，一起安排家具的摆放……这些微不足道的小事情，恰恰是夫妻关系的大纽带。

很多夫妻总说彼此缺乏沟通。

问他们认为什么是沟通？

他们说："当然是坐下来平心静气地聊聊心里话啦！"

差矣。

夫妻间最好的沟通，不见得非要体现在"语言"的互动上面。

婚姻生活中，双方要有共同的参与感，才会有更多的夫妻乐趣。只要他在身边，那永远永远，不要一个人去做事情，多问问他的意见、多寻求他的帮忙、多要求他的加入，夫妻间的沟通，是融汇在生活每一点滴中的。

每到周末、每到他能够看得到的时刻，系上粉红的围裙，拿起可爱的拖把，做个勤快的小主妇吧。把去健身房的时间花一点在打扫客厅上，会为你的魅力加分的！

除此之外，女人还要记住，永远不要给他安排固定的角色。

作为一个现代女人，不要在婚后跟老公明确地划分"谁主外、谁主内"的角色任务，婚姻是个协作过程，一旦把各自的工作任务划分得太清晰、太界限化，这是一种离心力，似乎是给了对方一种心理暗示：从此之后，我只做好我的任务就好。

久而久之，这种分工夫妻的协作性就会降低。

不论任何事情，都共同来面对并解决，唯有共同的经历，才是感情不衰的增稠剂。

女人挑老公可谓熬心费神，恨不得万里挑一。
实则，婚姻的真谛不在于"跟谁过"，而在于"怎么过"。

婚姻成绩每天都有新鲜出炉

有个最经典的傻瓜问题："我跟你妈同时掉进水里，你先救谁？"

虽然女人自己也知道此题无解。但还是要问。因为目的是希望通过这道题引出女人心里那道难度更大的无解题："是嫁给我爱的人，还是嫁给爱我的人？"

如果男人答"先救你"。那女人想，算了，嫁了吧。爱我的人至少是会疼我的。

如果男人答"先救妈"。那女人想，算了，嫁了吧。谁让我爱他呢。爱就可以包容一切。

对女人来说。

你不可能嫁给最爱的那个人，因为一旦嫁了、结结实实地拥有了，他便不再是你的最爱了。

也别觉得嫁给了爱你的人，此一生便安享荣宠了。同样的道理，你一旦嫁了，便也不再算他的最爱。

抱着"是嫁给我爱的人，还是嫁给爱我的人？"结婚的女人，不会过得太幸福。

早早晚晚，总会失望。

婚姻，是对感情的一次重新洗牌。之前的恋爱过程顶多算是参考因素，日子到底能过成什么样子，婚姻的成绩，每日每年，都会有新鲜出炉。

就像是高考结束进入大学，也许你的成绩好一点，也许他的成绩差一点，但进入了一个全新的环境之后，你们的起点全都成了一样的。

高中时的成绩，无法全部带入大学。

同理，恋爱时的分数，也无法全部带入婚姻。

男人都爱真正的女人。男人都想娶真正的女孩。
虽然女人味能迷倒男人，男人还是更希望女人的这份"味道"，不是被其他男人调教出的才好。

真女人什么样

"结过婚的女人才叫女人！"

不少男人如是说。

女人都或多或少有点恐婚心理：结婚前，不论谈过多少段恋爱，统统都叫"女孩"；结婚了，不论是多么年轻的新娘，统统都叫"女人"。

从"女孩"到"女人"，这是女人一路的成熟轨迹。

从"女孩"到"女人"，意味着女人长大了，不再是小孩子了。

从"女孩"到"女人"，社会要求女人必须要学会克制私欲、承担责任、付出自我。

女人的恐婚，其实是排斥"长大"。

不论是什么样的女人，都有点"彼得·潘情结"：不愿过早地长大，只愿一辈子享受来自他人更多的爱。

所以，一个女人，不论是什么资质什么条件的女人，在婚前，身上的小女儿习气都太重，稍不如意，揪着男人哭鼻子吵架。一个没结婚的女人心里，还很难学会包容体谅。

不过这一切的小脾气，在结婚之后，女人会慢慢改掉，婚姻这道门坎，不光是人生的分水岭，更是心理上的分界线，结婚之后，为了能维持家庭的完整性，女人总是更愿意去修炼自己的个性。

有很多美女才女，总是要经历过一次婚姻的挫败，第二次才能找到一生中真正的幸福。迷信点的人说这叫"二婚命"，其实说穿了，一个优秀的女人，在婚姻中难免傲气太过，带着傲气过日子，谁都搞不好婚姻。女人只有离过一次婚、贬过一次值，才真能放下一切过高的自我，踏踏实实做个真实而平凡的女人！

婚姻，不会改变女人的才华与容貌，却能改变女人的心态。

心态成熟与否，是区分"女人"和"女孩"的重要标志。

可惜现实是：男人虽然口口声声说"结过婚的女人才叫女人"，虽然未婚男青年们也屡屡对结过婚的女人暧昧地放电，但讲到婚姻，更多的男性普遍会"找个没结过婚的女人把她调教成真正的女人"。

能让男人爱的是女人，能让男人甘愿娶回家的还是女孩。

这是男人最大的矛盾，也是关于女人最深的尴尬。

有些女人会去抢别人的老公。
有人说她们"毒"，实则她们"懒"。
婚姻能让男人变得更有味道，可惜，她们不愿亲自动手去调教。

婚姻让男人更有魅力

如今很多公司招聘男员工，已婚男性被选中的概率明显上升。

一个结了婚的男人，招聘方会认为：他们生活更加稳定、行为更具自律性，同时，适度的生活压力会让他们更珍视工作的机会。

这些观点，无不印证了古人"先成家、后立业"的说法。看来，婚姻对人而言，确实是雕琢个性的极佳方式。

研究发现，一个人拥有长期的亲密关系，能够通过激素分泌的改变而减轻心理应激。单身人士比已婚人士更加敏感，说明婚姻能缓冲应激。

当然，也许很多男人会因此戏言：人生最大的惊险就是结婚。婚礼结束后，还有什么能吓得倒我！

婚姻对人最大的贡献在于，可以更加从容地去面对生活中的一切突发事件。

周围不少单身女人，随着阅历的增加，越来越喜欢熟男。她们喜欢的那类熟男，几乎都已经是别人老公了。她们感叹，恨不相逢未嫁时，抱怨上天总是愚弄她这副脆弱的心肝。

其实关上天什么事！

一个男人，真正的成熟，是从结婚开始的。

结婚前，好汉一身单，难免青涩莽撞。结婚后，生活给了男人适度的压力，更教会了男人如何去承担责任。而女人的眼中，永远永远，一个具备自律性的男人才是成熟迷人的。男人的耐力就是男人的魅力。

所以，未婚时，也许他并无特别引人入胜之处，但婚到一定程度，他的优点会有个集中的累积爆发。

那也是生活的必然产物。

之前大家总说：好男人是女人调教出来的。

做女人，还真是要有点耐心。

那个你自认非抢不可的男人，不见得是格外的优秀，也许仅仅只是，他多被女人调教了几年而已……

婚姻是女人一生最大的投资。
所以每个女人都渴望完胜的结局。
只是，当女人把婚姻当做了"投资"，就意味着她已然没有了"完胜"的机会。
就像不少人的玩笑话：当男人开始升值了，女人也就是时候贬值了……

别拿"裸婚"当投资

婚姻，是女人一生最后一次"谈条件"的机会。

不少女人会把价码叫得尽可能"狠"，反正也是最后的疯狂！

但也有些女人绝不拿价钱来说事儿。用个近年来特别流行的词儿讲，这叫——裸婚。

关于"裸婚"，男人爱，女人恨。

可见，一段不需要物质的婚姻，男人是乐得轻松；一段没有物质的婚姻，女人是真的压抑。

其实见过不少裸婚之后喊"后悔"的女人。

她们的心态是：我可以跟你裸婚，但前提是，结婚后，你得拿出百倍的热情来爱我，得一辈子对我死心塌地感恩戴德。

女人即便答应裸婚，其实，也只是希望能换回男人的感激，从而占领婚姻中的主导地位。

但现实是残酷的：男人不论因什么原因而裸婚，不论是跟什么女人裸婚，结婚后，无一例外会回归男人的本质。他会犯懒，也照样会有小花心。他不是不感激身边那个女人，而是，男人即便感激，也不见得会有一生一世的长性。

到了此时，女人会全线崩溃："折了财，赔上了人！"

在婚姻投资问题上，女人的自信，往往演变成自负。

要知道，没有任何一个人的成功是必然的，很多男人的功成名就，除了能力之外，还有点偶然因素。而这点点"偶然因素"，等同于撞大运！

裸不裸，都是你婚姻的自由选项。

重要的是，女人别把裸婚当成投资。裸婚前，就该有所心理准备：你嫁的，也许仅仅只是个过日子的普通男人……

一对夫妻迎面走来，想知道谁是"一家之主"不难，只要听他们说上几句话即可。
想做个有"权"的太太，要从"说话"开始。

权职太太养成记

所有人都爱问那些夫妻同样一个问题："你们家里谁说了算？"

通常这时候丈夫会抢答："我们家大事我说了算，小事她说了算。只不过，结婚到现在，一直还没发生过大事。"

很明显这是个狡猾的答案。虽然，这是标准答案。

生活中的不少夫妻，连他们自己也说不清自家里，到底谁才是真正的领导。因为现代社会的家庭分工，"管理"和"被管理"之间，似乎差别不太大。

一次参加节目，台上一对小夫妻，男方还是拼命装绅士，尽力维护自己尊重太太的形象。但伶牙俐齿的太太到了他身边，一切都是由他去说、尽力地去配合。老公发言的时候，她绝不插嘴。温柔得一只小绵羊，很难相信她在家里会对丈夫指点江山。

通常来说，要分辨谁是一家之主，不要在家里看。

当一对夫妻到了社交场合，谁是家庭发言人，谁便是真正说了算的那个。

当面对别人的问题，首先想到抢答且连续抢到五个问题以上的，便有户主的嫌疑。

小夫妻，结婚之初，权力的第一步，其实是从"说话"开始。

夫妻中的哪一方，口才好，与外界邻友交流得越多，那么，朋友邻里们便会把你当成这个家里说话管用的那个人，有了事情，他们便会不由自主地先来联络你。自然而然，家庭一把手的地位你便坐牢了。

现在不少年轻太太，总想当个"权职太太"，在家里，要有足够的职权。那么一定，要懂得与友人们的交流。

家庭地位，也是"说"出来的！

幸福可以传染。
不幸福也可以传染。
情绪是都市里最具传播力的流行病。
好好留意身边朋友的生活方式，也许，下一个翻版，会是你。

群体传染效应

对一个女人而言，最具挑战性的"情敌"，往往不是女人，是他的哥们儿。

女人对男人的抱怨中有一条：他对兄弟太好、说一不二随传随到，我反而是退居二位！

不过，即便如此，一个这样的男人，女人们还是乐意坚持。

一个至今仍在和少年玩伴交往的男人是非常忠诚的。

女人愿意妥协：让他分一点爱给同性的朋友们，总比让他把爱分给异性伙伴们要好。

这话有道理。

对兄弟有长情的男人，对女人也定然不会太薄情。

长时间的友谊最考验人品，尖酸薄幸之人，兄弟们也不愿陪他走过若干年。

但回到现实中却往往不是那么回事。很多对兄弟长情专情的男人，在对待异性的问题上却格外花心，兄弟是几十年如一日，女人是一年几换。

评判一个男人的专心指数，除了友谊时间的长短，更重要的是考察这个人朋友圈子的质量。

罗德岛布朗大学的罗丝·麦克德莫特博士自 1948 年开始跟踪调查新英格兰弗雷明汉 1.2 万余名居民的生活状况，结果发现离婚也具有传染性，每一起离婚事件都会在朋友圈中产生影响，如果被试者的一名好友遭遇婚变，那么这名被试者的婚姻触礁的可能性便会增加 75%。这种效应被称为"离婚聚类"。

现如今的社会生活中，每个人周围都有一个小圈子，这个圈子看似开放，实则是个密闭的环境，不论哪个人、投入何种情绪进去，这种情绪都会隐隐地在这个圈子里流动，进而对其他人造成心态上的影响。就比如说，大家都在出轨，话题全都围绕在"出轨"问题上，当每个人都把"忠贞"数落得一无是处之际，那个还未出轨的人，心里面不自觉地就会去思考自己的婚姻，由着他人对婚姻的指责，他会不自觉地去挑剔自己的婚姻。

近几年各种异质恋现象大流行，甚至出现了剩女扎堆、离婚结队、小三成群的现象。无不是因为一种"群体传染"的效应。

幸福可以传染，不幸福可以传染，结婚可以传染，离婚可以传染，出轨可以传染，独身可以传染……这世上，不是只有疾病在传染，更有那许多感情和情绪，在一个个小范围的社交圈子里悄悄弥散……

越是重友谊的人，越重视朋友的意见，也越希望融入好友们的生活方式。尤其，当一群人日日在你耳边传达一种生活理念时，你的思维，不自觉地会跟着他们走。情绪的传染，魔力大过一切的理性判断和生活规划。

如果一个人，不论男人还是女人，周围的兄弟帮或姐妹淘个个都是情场活跃分子，那这样的恋人，交往起来要多加小心。

虽然吵架时，总是男人先向女人道歉。
实际上，面对冲突，男人比女人更执拗。
女人可以发脾气，但脾气过后，得学会巧妙地化解矛盾。

如何化解矛盾分歧

很多人说：婚姻就像做菜，没有勺子不碰锅沿的。

分歧，没有夫妻避免得了。如果不善于处理夫妻间的分歧，那对婚姻则是巨大的灾难。

很多夫妻的分离，仅仅是因为一场小冲突。虽然不少男女时过境迁多年后会后悔于自己当初的任性，但人生如此，没有人，肯为你等在原地。一时错过了，就是一世。

面对可能引发夫妻冲突的观点分歧，女人要做足功课。

首先要了解男性的心理：在对待分歧的问题上，男人总比女人执拗。

有些时候，男人有孩子般的任性，尤其是在他最可信赖的女人面前。也许明知道自己会错，面对她的反对意见，他也会执拗地坚持。

这个时候的人，心里憋着一股气，如果硬逼他说放弃，那会伤他的身，也会伤他的心，最好的办法，是想办法去化解。

遇到分歧，不要在第一时间说"不"。适当的使用思维干扰方法，暂时地把之前造成分歧的那个问题冷冻下，有意识地去引导他先去做一些夫妻双方可以愉快地达成共识的事情，当这些事情做完，夫妻二人的默契程度和对彼此的信心会有个飞跃式的提升，这时候再把之前有分歧的问题拿出来，会更容易解决。

对待男人，女人一定要学会包容。但包容不等于忍让。你可以原谅他的小任性，但不可纵容他的胡闹。

成年后，男人这一生，总在寻找另一个"母亲"的怀抱，做太太，要给他母性的宽容，而后，他才能还你父兄般的伟岸！

很多夫妻闹矛盾，不是因为不爱，是因为爱得不够专注。
一生的婚姻中，只需要做好一件事：不断集中你们的注意力。
如此，幸福便不远了。

如何集中他的婚姻注意力

每个人都不例外地希望婚姻能激情常在，就如同女人总希望青春永驻。

激情就如同女人的容颜，青春总会逝去，容颜会渐渐松弛，风乍起，吹皱女人的一脸春色，适当的皮肤保养，可以让女人容颜久驻。适当的激情保养，更可让婚姻中爱的感觉流逝得更慢。

那些真正聪明的女人，会想办法成为老公的朋友。

最良好的夫妻关系，不是火热的激情，也不是温暖的亲情，应该是互相理解的友情状态。这个状态下，双方最容易敞开心扉，这是最舒服的男女相处模式。想要留住男人，老婆得学会做他的好友知己。

有些聪明的女人永远喜欢深情地注视他。夫妻关系中，激情其实是一种争夺宠爱的过程。婚姻中每个人都希望自己能成为对方眼里的焦点，但随着婚龄渐长，双方的注意力会有所分散，随着实质生活的进展，婚姻的内容会越丰富、越会扰你分心。这种"分散"，会造成对方心中爱的缺失感。夫妻间要想维持新鲜度，就必须要有"焦点意识"，你要意识到，更要让对方意识到，你把他（她）放在第一位，这样他才能更集中精力。要让对方自愿地去承担婚姻忠诚度的维护责任，必须让他有所意识，他对这个家庭是最重要的、是最不可或缺的。这并不像女人想象中那么复杂，男人希望女人永远能够眼中有他、只有他，作为女人，能做到这一点，婚姻激情的寿命会延长五岁。

　　婚姻是女人一生最重要的事业——记住，是"事业"。
　　做好这项事业，需要的是耐力、魄力、智力。
　　跟爱相比，人生很短。
　　五十年不长，拥有了婚姻，那就要想办法，好好爱他吧。

人们总说：女人太强，男人消受不起。
但有些女人即便太强，男人也乐得宠她爱她。
那些能获得幸福的女强人，都是尽早地破解了"拥抱的密码"。

用拥抱说"抱歉"

这个时代，越来越盛产女强人。

现代家庭中，女强男弱的例子也不在少数。

不过，大多数传统的中国人接受不了"大女人和小男人"的组合，因为："女人太强，男人如何受得了？男人太弱，女人如何忍得了？"

身边确实有不少女强男弱的幸福典范。在周围人一片不看好的质疑声中，人家两口儿过着幸幸福福的小日子。

其实，女强人想获得幸福，并不难。关键是懂得适时地转换自己的角色定位。一位媒体女高管说过，老公没她有能力，个性也没她强势。因此他们也常常会有争执。但所有的争执通常是不过夜的，因为她有化解矛盾的密招——拥抱。

也许之前吵得不可开交，但到了临睡前的那一刻，给对方一个体贴且满含歉意的拥抱，一切矛盾便烟消云散了。

女人要学会"拥抱"。既要弄明白各式各样的"拥抱"所代表的不同含义，更要用对这些含义。

激情的拥抱，代表的是奔放的爱意。温柔的拥抱，代表的是含蓄的执著。从背后去拥住他，代表的是宽厚的体贴。

作为一个职业女性，你可以说"我很忙，我没有那么多时间去体贴他的感受"，那么，学学这一分钟的拥抱吧。

女强人，没关系。所有的干练兼霸道，在钻进被窝的那一刻，必须宣告终止。

每一晚临睡前，从背后轻轻拥住他，不需要任何语言，你的怀抱，便是最好的示爱。

每一个男人，都爱温柔体贴的女人，别以为这很难做到，有些时候，沟通，仅仅来自一个拥抱。

爱的味道是什么？
一些人会想到"甜"，另一些人会想到"苦"。实际上要想爱得够味，"情"字之中，少不了一点"酸"。
聪明女人都懂得让男人去吃点小醋，经过发酵过后的爱情，才更加地可口。

爱情的另一种味道

曾经，爱吃醋的女人有女人味。

如今，会让男人吃醋的女人更有女人味。

男人都是孩子，对待孩子，想要让他更有长性，要学会激发他的竞争意识。最好的激发方式，仅仅就是女人的一碗醋！

想做个受宠的太太，女人生活中的各个方面，都该学点泼醋小招数。

巧妙利用他的争宠心

妻子和母亲，是每个男人一生中最重要的两个女人。有些幼稚男甚至会在妻子和母亲之间制造小矛盾，目的是为了让她们互相竞争，爱他更多一点，这是男人的争宠心。做妻子，一定要得到婆婆的支持，不论你是不是真的爱她如母，要知道，当你亲昵地偎在婆婆怀里，每个男人心里其实都会有小小的醋意。但别担心，这点小醋劲却是激发他加倍讨好你们的刺激点。

永远不要满足他的全部要求

当他说"晚上我们去看电影"，你该说"不行啊，我要加班"；当他说"下班我们去尝新开的川菜馆"，你该说"怎么办，公司今天有西餐晚宴"。女人要记住，他每提三次要求，你该有一次是拒绝的。偶尔的拒绝，会让他有更多的期待。虽然他会小吃一把你工作的醋，但记住这句话：没时间的女人才有身价！

减弱他对你的把控力

即便已经毕业N多年，偶尔也可跟当年的姐妹党一起来场彻夜聚会。穿得花枝招展，不顾他恨恨的目光，告诉他"亲爱的，我今晚不回来了"。是的，男人都喜欢贤惠女没错，但一个贤惠女偶尔的小火辣，会更加让他把持不住。做女人，不要轻易拿异性朋友做"爱情道具"，因为这真会激怒男人，这般烈醋会让他产生报复心；做女人，一定要拿同性姐妹给他点点"小醋"，要让他意识到对你的把控力正在减弱。当一个男人觉得对一个女人的把控力正在逐渐减弱中，那他对她，会更加地热情上心。这种"醋"会更激发他的争夺欲。

偶尔让他没点安全感

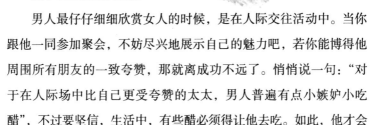

男人最仔仔细细欣赏女人的时候，是在人际交往活动中。当你跟他一同参加聚会，不妨尽兴地展示自己的魅力吧，若你能博得他周围所有朋友的一致夸赞，那就离成功不远了。悄悄说一句："对于在人际场中比自己更受夸赞的太太，男人普遍有点小嫉妒小吃醋"，不过要坚信，生活中，有些醋必须得让他去吃。如此，他才会更加有竞争意识，为了配得上你、超得过你，他会更加努力去工作。

对付懒老公要有小狠心

如果他懒得帮你做家务，如果他总是懒得照顾孩子，那么作为妻子，也要适当地小惩罚他下。在一段时间内，不再把他当成"NO.1"，把孩子老人家务工作统统排在他之前，每当他极迫切地需要你照顾的时候，你该说"我这么多工作要做，你就自己克服下吧"，切记，要挑他最需要你的时候小整他下。但次数不要多。目的只是为了让他记住，做个懒老公是有代价的！所以，当看到他对着孩子和家务无奈地泛酸，忍一忍，别心疼。要知道，下一次你再提让他帮忙做家务的事，他会比之前更爽快地答应。因为他想"忙完这些，你该陪我啦"！

......

爱要够味，"情"字之中，少不了一点"酸"。发酵过的爱情，才更加地酸甜可口。

前男友多是"害人精"。
总在女人的幸福一切就绪之后，突然跑回来对她说"其实，我一直惦念着你"。
很多女人心软了。
但也因此失去了手边真正的幸福。

婚姻的最后一道门

越来越多的姑娘遇到过这样的难题：婚期已定，婚房已买，婚事全已料理好……这时，突然前男友跑来对她说："我还是爱你，放下一切，跟我走吧。"

姑娘们犹豫了：前男友是至爱初恋，虽然伤过疼过，但一生一世也不可能忘得掉他；现男友宠她爱她，失去了这一个，一生再难寻得这被宠爱的感觉了。

恋爱中，有些男人天生喜欢惹是生非，总在女人即将忘掉他时再次出现。对女人来说，他们是人生的考验，能过这一关，才配得到真正的宠爱。

试想，女人若是心里揣着另外一个男人结婚，不久之后，会失宠，也会后悔。确实，一个女人，能找到一个条件不错、不令人讨厌同时又宠你的男人不容易。为了曾经的浮云，丢掉近在眼前的家，难免遗憾。

也许女人觉得，婚姻若是不能嫁给最爱的那个人，是不公平的。

但不要把婚姻想成爱情的终极实现形式。婚姻和爱情之间，没有必然的等号。

嫁给一个最爱的男人，那样的婚姻，就好比是两盆热水一天天地变凉。

嫁给一个不那么爱的男人，只要愿意努力，那样的婚姻，也有可能让两盆温水一天天地变烫。

所以，如果临近婚期，有男人对你说：我爱的依旧是你……

对他说声"谢谢"，同时说声"抱歉"。

无疑，这会同时让你在前男友和现男友，两个男人的心中更加完美。

PART 7

每段爱情都有伤疤

男人那点
心思
女人那点
心计

人这一生，总会遇到些伤害。

有些人遇到了伤害，会想法子找个垫背人。

"前男友伤害了我，我就把怒气撒到现男友身上。只有撒完了愤恨，才能得以心理平衡！"

"那个隐婚男人骗了我，我就要搅他个家宅不宁。不把他老婆整个惨，我不甘心！"

"上司屈我罚我扣我薪金，我说什么也要把同组的同事拖下水，凭什么只让我一人担责！"

……

这些不那么见光的心思，其实日日转在我们周围。一个人遇到了麻烦，如果不想得"狠"点，似乎连自己都觉得自己没用。

很多人把"爱"当成疗伤的办法。

于是，当他伤愈之后，那个帮他疗伤的人，却被伤透了……

你以为把痛苦传递到别人身上，可以缓解症状，其实只是多树了个仇家，他们会想方设法让你痛之更痛。

把快乐与人分享，不见得能多交到朋友。

把痛苦转嫁他人，一定是多得到仇敌。

疗愈伤痛的办法，不是去伤害别人。

伤痛不同于幸福，幸福可以传递，伤痛转移不了，只能自己承受。

总有些人，每当她疼的时候，会抓一个人来垫背。她想：多一个人陪我，会疼得轻些。至少也能让我疼得不孤单。

但真的那么做了之后，她才会明白：多一个人陪自己疼，那种感觉，只会更糟糕……

女人都爱男人大方点。
于是有些男人，凭借一点廉价的大方就俘获了美人心。
但廉价的大方，好比是恋爱道德的一根绳索，套上了，女人轻易解脱不开了。

男人那些廉价的大方

有个女孩被恋爱折磨得吃尽了苦头，男友花心，大男子主义情结严重，她整个人在恋爱中被控制了起来，却找不到反抗的支点。周围人纷纷劝她分手，她却在迟疑中一忍又忍，忍了八年。

她对我讲了一个他和她之间的故事。

刚确立恋爱关系时，他们都还是穷学生，她的家境不好，父母每月给的生活费十分有限。二十出头的女孩子要漂亮，往往会从吃饭的钱中抠出一点去置衣扮靓，那时候的日子总是捉襟见肘。有个月，饭卡金额已经光光，汇款单却还迟迟未到。在她心急如焚的时候，男孩当时拿了十块钱给她。她用这十块钱挨了一天半，汇款单终于到了。后来她得知，那十块钱也已是男孩当时全部的身家，这十块钱给了她，他为此饿了一天。

知道真相后，女孩当然是感动得泪水盈盈。发誓，这辈子跟定他了！不论吃怎样的苦都跟定他了！于是后来，当感情变淡，男孩开始对她进行伤害，她依旧跟在他身边。

她说："不是没想过分手。每次想分手的时候，就想到当年的那十块钱。我想，一个男人，肯拿出身上仅有的十块钱让我充饥，一定是对我有爱的！"

……

世上颇多这女孩似的类型。因小恩而感动，发誓永生不离不弃。

唉。女人的一颗心，何至于如此柔软？！

不妨做一个这样的假想实验：

让一个身上仅有十块钱的人，拿出十块，其实不是什么难事。

但让一个身上有一千块钱的人，拿出一百块，难度就随之增加。

再让一个身上有一万块钱的人，拿出一千块，难度随之再增加。

以此类推，让一个有十万、百万、千万的人，拿出全部资产的十分之一去救济一个女孩，通常，这些人的心里会仔仔细细地掂量再三。

一个已然赤贫的人拿出所剩无几的钞票，并不困难。反正十块钱，不论在谁兜里，都顶多是顿午餐。但若因此俘获一个女孩的心，那简直是最划算的生意。

但换了一个小有资产的人，你想去掏他的口袋，不论是他多爱的女人，大概，都不会太容易做到。

世上有两样东西，人拥有得越多，越想更多地拥有。

一样是钱，一样是爱。

女人有了爱，只会想到要更多、再多。

男人有了钱，只想留着生钱、生更多的钱。

这就是钱的狡猾之处：它想俘获一个人，便先把自己交到他手上。而后，他成了它的奴隶。

所以，无钱时，人最大方。一个男人无钱时对女人的大方，不足以成为日后他有钱时的行为参考依据。

女人不必为了男人曾经一次"廉价的大方"而许诺终生。

一顿午餐的价钱，不值得你为他受一世的苦。

真爱上一个男人，女人是可以不要命的。
但能眼睁睁看着你不要命去爱他的男人，女孩们，还是离远点吧。

刀下的爱情，分外迷人

有个女读者，未向我展示情感伤痛之前，先卷起了袖子，上面横七竖八十来道白印。是刀子划过的伤疤。

男友花心，总是隔三差五恋上七七八八另外的女人。这样的男人，原本应该离开，可是她离不开。她说自己真不想活了，每次当他花心，她就以割腕作为解脱的方式，每次血流不止，她都以为活不过来了。但每次，也都活过来了。

如今，伤疤一道道长好，男友依旧花心。

看到一只手臂上有十几道伤疤，我就知道，她说了谎，其实不是真的想死。真正想死的人，总有办法让自己活不过来，一次不成，两次也准成。不会一连十几次都失手。

她屡屡被死神抛弃，不是因为上帝家里太挤、不肯收留她，而是因为她的寻死，只是为了让他看到。同时，她必须要再次醒过来，因为，她更希望看到他那时那刻的紧张。

这是她和他之间的游戏，虽然有点危险，但她乐此不疲。因为只有那时片刻，他眼中的焦急，会满足她爱的渴望。

爱上了花心的男人，女人同时会爱上自虐的感觉。

寻常时日，她不可能完整地拥有他，她必须与人分享。当她病了、伤了、垂危了，且是因为他——他才能乖乖地待在她身边。

女人挽回爱人的方式有很多种。有些人会折磨对方。有些人会折磨自己。

如果他爱你，你折磨自己他会心疼。

如果他不爱你，你折磨自己他会心烦。

用刀子都挽回不来的爱人，女人会迷恋一辈子。

而这种迷恋的感觉，就是女人最极致的自虐。

男人逗引女人是为了获得生理满足感。
女人逗引男人是为了获得心理满足感。

"丫头，别逗了"

有个姑娘跟我说："我害怕别人玩我，特别是男人……"

为了不被男人玩弄，她会主动出击，去玩弄"男人"。作为一个年轻女孩，她的玩弄，也并非猥亵的色欲，仅仅只是"逗引"男人，说喜欢他们，说爱慕他们……直到挑起了对方的小欲望，又慌不择路地跑掉。

她一次又一次地逗引着一个又一个的男人，她也承认自己不是个好女孩，甚至某种程度上可称之为"贱女孩"。她总渴望能从这些男人之中，找到一个真正不好色的君子，但遗憾的是，当她的逗引一开始，所有男人都急不可耐地想跟她直奔主题。正值青春的她总苦恼于一连串的问题："为啥男人都不禁逗？为啥就遇不到一个靠得住的好男人？那些被我逗过的男人都说我善良单纯，为何还要引诱我？我以后会得到自己的幸福吗？"

……

年轻漂亮的姑娘怕成为男人的玩物，为了自我防卫，往往很多姑娘会抱着游戏的心态跟男人交往。

可是这些姑娘却没想过：一个时时游戏着人间、挑逗着男人的女人，男人若是不玩她，简直觉得对不起她！

这种"逗男人"的心态，源自年轻女孩的自负，因对自己的相貌有自信心，对自身的魅力有虚荣心，进而渴望获得更多异性的关注度，满足自我的成就感。

这样的危险游戏，也只有年轻不谙世事的姑娘才胆敢玩得起来。

就像这位姑娘说的："那些被我逗过的男人，无不觉得我单纯善良。"

那是一定的。也只有那些真正单纯不谙世事的女孩子，才会去玩这么危险的游戏。

她觉得是在玩他们，暗自偷笑，笑他们傻乎乎；实则该偷笑的是他们，他们是佯装被她玩，然后是真的把你玩上手。

这一场场猎人和猎物的游戏中，女孩子们，往往会自信得过头。

男人女人的较量，一半游戏一半情。

爱玩的女孩子，总渴望着突然某一天被从天而降的真命天子好好保护起来。可是这些姑娘不知道：若自己总在"玩"的状态中，即便真命天子从身边走过，也只会生出歹心："这么轻浮的女孩，我为什么不能占把子便宜？"

爱玩的女孩子，总会过度透支了自己的纯真。

别以为女人的爱，终其一生，可以随时随地开始。要知道，有些真爱，总在你一切准备就绪的时候，它不再光临……

有些女人渴望婚姻，有些女人只渴望更奢华的婚姻。
当享受成了习惯，堕落的天使，凡人搭救不了。

谁来搭救堕落的天使

有个小伙子迷上了一位款爷的二奶，确实是迷上了。第一次见面，她那烟笼雾罩的忧郁眼神，飘忽地投向他，瞬间，小伙子就喘不上气来。临别之际，他强按着自己的心跳，送了她一小块儿佩玉，美人稍一莞尔，也未拒绝。

隔天，小伙子花了大半月的薪水去珠宝店买了项链准备做第二次见面的礼物，却意外听到她最近在忙着"转正"的消息。款爷在闹离婚，身为二奶的她，极有可能"登堂入室"了。

小伙子并不甘心，一个劲儿地跟我说："她跟那位款爷的关系就是思想上绑架，经济上束缚，对她而言是一种灵魂的折磨。这几年来她也在相亲。我想帮助她，想让她从精神和灵魂上有一个质的升华，这样她能够更好地了解自己，也知道自己要什么，最终找到属于自己的幸福。我想这么做，但我的能力有限，不知道怎么去做。"

……

面对这么单纯执著的男孩，我也无奈了。

于是问他："你解救她之后准备怎么办？娶她吗？不嫌弃她之前的经历吗？"

他一口应道："不嫌弃。"

一脸清纯的坚毅，我想到了一个词：英雄情结。

年轻男人都有点英雄主义情结，对堕落的楚楚女子，总是想要施以援手，带她出泥尘。

不过，英雄救美的桥段，只能写到美人被救出狼窝为止，再往下，连作者也编不下去。

不论是英雄，还是狗熊，一个男人的心理，总是差不多的。

男人口口声声说不在乎女人的过去，但通常，说这话的男人，一定还是没有真正得到过这个女人。就像是一件物品，没得到之前，谁都只看到优点，得到之后，开始挑剔它"价钱太贵""质地太糙""养护太麻烦"……男人对女人，也是一样。男人追女人，是不计较成本的，但男人追到女人之后，会心疼自己之前的付出。

接着我对男孩说："初次见面，你送给她自己手机上的一块佩玉，她很乐意地收下了。一个女孩子，这么容易收下男人的礼物，可不是好兆头，跟这样的姑娘恋爱，今后你麻烦一定少不了。她收下你的，不见得不会收下其他人的。而礼物，是男人试探女人的敲门砖，一个肯收男人礼物的女人，男人就总会有办法把她的人弄到手！"

的确，天使也会堕落。

一个堕落的天使心里，能拯救她们的，一定是更强大更可依赖的男人。

越是当小三的女人越缺乏安全感。但一个小三心里需要的安全感，并不仅仅是男人跟她谈"灵魂"。

想得到这样的物质美女的爱，男人，得来点实在的！

从统计来看，越是自身条件不佳的男人越在乎老婆是不是处女，这折射了男人心底的不自信。

男人想要得到一个从未经任何男人染指过的女人，隐隐中说明了，他害怕与人的竞争。

怕输的男人，才会有大男子病，包括处女情结。

美女的经历

世人总说：富家美女娶不得。女人一旦同时拥有了财富和美貌，一定会娇纵到让男人为奴为仆的地步。

是不是富家美女就克服不掉身上的娇纵之气？

我的一位家境殷实的美女读者用她的经历给出了答案：

女孩因为漂亮和富足，内心总有些高傲的公主情结，追她的男人她看不上，总觉得那是奔着她的财和貌来的。二十几年过去了，从没有男人打动过她的心，她也认为不会有男人能打动她的心。漂亮女孩总有些叛逆情结，她痛恨男人的"处女情结"，觉得那是对女人的歧视。于是某一天，这女孩萌生了一个大胆的念头，决定找一个男人，来结束自己的处女生涯。且此人一定要是一个自己一点感觉都没有的男人，否则不够刺激。最终她锁定了一个外地男网友。

当时见到那个男网友时，她就后悔了，不高不帅没风度，为了伪装自己的不在乎，她还是跟他去了酒店……发现她还是处女，那个男网友受宠若惊。但她经历了这尴尬的第一次，只希望永远不要再见到他！

造化总是弄人，随后不久，她遇到了自己的真命天子，帅气、包容、有责任感、有事业心，他身上的一切特性只让女孩觉得幸福无边。可她心里有疤，自己的初夜不光是给了不是真爱的男人，甚至是给了那个令自己作呕的男人。她对他隐瞒了真相，只说自己曾经有过一段失败的恋爱经历，男友说"没关系，宝贝，我不在意"，可她心里如刀割般难受。回想起曾经年少的轻狂，女人经历的岁月可不仅仅只是句"悔不当初"便能了结的。自此，她变了，变得沉稳安静，变得善解人意，变得像个贤妻良母……可一切的改变，始终敌不过曾经的一夜荒唐。

……

当初，看到这女孩来信的时候，我长叹了一口气。有些许伤感。因为，女人哪，总是会在最富足的时候，随手丢掉一些最珍贵的东西。若干年后，她恨不能时光倒流，回到从前与当年的自己谈谈。但一个人，到了想要跟曾经的自己谈谈的时候，一切都晚了。

这样的一次经历，也未尝不是上天对美貌富家女的一次非常规教育手段。

虽然如此"破处"的理由，听起来甚是荒唐，也足见，那时的她，多么心高气傲、多么的盛气洋溢。一个被宠坏了的女孩，不论什么样的幸福摆在面前，都不会尝得出甜滋味。

当年那件事，虽然会让她悔恨一辈子，也不见得它就全无好处。至少从那一刻起，女孩开始长大了。

"造化"二字，从不钟情十全十美，万事万物总要有点瑕疵，美人若是无瑕，难免骄纵，而一个骄纵的美女，得不到真爱。

虽然当年稀里糊涂地失了身，却也因此让她学会了跟日后男友相处中不过分地骄横，因为心里亏欠，才会以更成熟沉稳的心态来谈这场恋爱。假若没有当初那件恨事，依旧是曾经那个集万千娇宠于一身的美女，不见得不会把小姐脾气撒到男友身上。到了那时，她还是不是一个完美女友，那就说不定了。

这就是人生的经历，你虽然恨它，但自有它的价值。

叹惋中依稀有些获得，人间的路上，处处可见这些不完美中的"完美"……

不少女人会对男友说："我会等你赚到足够多的钱，来娶我。"
也偶有一个男人对女友说："你虽没钱，但我会等你去赚钱。"
这是一个男人的闹剧，也是一个女人的悲剧。

拜金男的闹剧

有个姑娘来倾诉过跟一位拜金男之间的感情纠葛。姑且称她为

A 姑娘吧。

据 A 姑娘称，拜金男穷且虚荣，除了她之外，还另有一位 B 女友，且在她们各自面前都毫不掩饰。同时还向 A 姑娘表示："我是想和你在一起的，但你没有钱。除非你努力赚钱，将来有钱了，我便一心一意对你。"

按理说如此贱男女人不该甩他第二眼。可偏偏这位拜金哥就能让两个姑娘对他又恨又爱！

恰逢这一年拜金男的生日。A 姑娘 B 姑娘，纷纷拿出精心准备的礼物，试图一举击败对手。

A 姑娘送了价值不菲的名品钱包。B 姑娘送了做工考究的名牌皮鞋。

穿着 B 姑娘送的皮鞋，拜金男乐不可支。A 姑娘送了钱包，却被他骂了两整天：嫌钱包贵、嫌她不懂他，还是 B 姑娘更体贴他的心思。

至此，A 姑娘就给我写来了信："钱包和皮鞋而已，有那么大区别吗?！怎么就扯到'懂他'还是'不懂他'上面来了！"

……

是啊，钱包和皮鞋，男人都离不了的两样必备品。通常情况下，这两样东西，也是男人最注重品质的物件。也许男人会一身素朴，大多都希望能有个名品钱夹和一双考究皮鞋。

但，对某些虚荣的穷男来讲，钱包和皮鞋之间，区别恰恰是巨大的。

一个没钱的男人，钱包不会经常拿出来示人，再贵的钱包装不到三五张钞票，也是无用。但一个没钱的男人，名牌皮鞋穿在脚上，却是外人一眼就能看到的。

越没钱的男人，越会把钱花在外人都能直白看到的地方。他骂A姑娘买钱包"贵"，不是心疼她的花费，只是心疼自己又少了一样可引人注目的装备。

A姑娘是个单纯的女孩子，送的礼物，仅仅是礼物，还只是停留在"浪漫回忆"层面，也许等她经历了些现实磨砺，有了些岁月历练，就对得上一个虚荣穷男人的路数吧。

到了那时，大概，这样的拜金男，不会再让她纠结无助地停步。

好女人让男人觉得"珍贵"，坏女人让男人直喊"真贵"！
呵呵，泡妞有代价，上床需谨慎！

好女人珍贵，坏女人真贵

曾有个80后富二代来信，标题就是："我被骗走了300万"！

事态严重紧急，赶紧接着往下看。

这位富二代自称交往过17任女朋友，前妻对自己温顺体贴，可他却因此觉得这样的女人没什么个性，与之前的女友一样，像只温驯的小绵羊，太缺乏激情。就这样，结婚没多久他就坚持离了婚，而且，因所有资产都是男方的婚前财产，离婚后前妻未分到半点财物。

恢复了钻石王老五的身份之后，他遇上了这个让他爱恨不能的漂亮女友。这位容貌身材酷似林志玲的女孩极有个性，从来不会主动迎合。富二代劲头来了，这姑娘跟之前那 16 只小绵羊太不一样了，太够味儿了！于是为了取悦于她，富二代在自己名下那栋市值 600 万的楼房证上加上了她的名字，因为她说：如果不在房证上加她的名字，就甭想娶她过门。

婚后不久，富二代又后悔了，第一次婚姻，他嫌老婆太听话，第二次婚姻，他嫌老婆太不听话。第二任妻子，极其娇惯，时时处处需要被照顾。从小到大，这位富二代从来没有为他人服务过，至此却当上了太太的长工。可是他又不敢轻言离婚，因为房产有人家的一半。他后悔了，想和前妻复合，可又想："如果我少了 300 万家产，她还会像以前那样对我好吗？"

最后，这位富二代问了一个极其天真的问题："真的没有办法劝说我现在的老婆还我那一半房产吗？"

……

至此，这位富二代清纯单纯得已然令我无语了！

不过，从他这第二任妻子的身上，还是能得出一条真理：世上美女不少，但能从男人身上套到数百万现金的却少之又少。可见，漂亮不过是成功的条件之一，谋略才是最终的竞争力。

之前有人说：好女人是男人的学校。

更恰当地说应该是："坏"女人是男人的学校。

一个男人，不在"坏女人"那里吃点亏，是不可能真正了解到好女人的"好"的。

倒不是说这位酷似林志玲的美女是个"坏女人"，而是说，这位美女极懂得把玩男人的手段，她知道何种时候、何种境况能够把男人的欲望发酵到极致。

而一个男人的欲望一旦即将到达顶点还没有被满足，接下来，这股"欲望力量"的冲击下，他必然是要做傻事的！

所以呀，对男人的需求，女人要学会"延迟满足"。一口气让他吃个够，接下来他必然开始反胃。而在一个饥肠辘辘的人面前摆上一只烤羊，用不了多久，他会全线溃败！

其实对这位富二代而言，这一路的感情，真该好好反省，17个女人经历下来，他从来没想过如何对她们好，只想着如何找出一个对自己更好的女人。

人生中，没有比较，永远不知道白开水最是解渴。

虽然男人普遍会觉得几夜风流就得花三百万的代价，实在太吃亏，但对男人来说，泡妞，总是得花钱的。也许之前那16个都免费，但这第17个，能让他一次花干统共17个的钱。

好女人会帮男人避免上当受骗，坏女人却可教会男人"如何珍惜对你好的人"。

这一路上，总遇到好人，不是福气。人生之初，遇一次"恶人"，日后，才真能留得住福气。

越是美女越缺乏安全感。
因为缺乏安全感，所以才更经不起遇人不淑。
因为她拒绝婚姻失败，所以才加倍地要去考验爱情、控制爱人。
所以，娶个美女，是男人的运气，但真不见得是福气。

美女有多少陷阱

每个女人都渴望成为美女。每个男人都渴望娶个美女。

可是，美女，是情人的天堂，恋人的地狱，老公的炼狱。

跟美女的关系越近，男人的感觉越煎熬。

别觉得这是夸张，不信，爱上个美女，你试试?

越是美女越对自己的容貌缺乏安全感，就好像富豪天天守着财富却睡不着一个好觉。

人，没财没貌，会渴望这些。

人，有财有貌，会担忧一切。

于是生活中，总有些美女让男人活得很累：都说狡兔三窟，可漂亮的姑娘十个心眼也还嫌不够用。

有个年轻男读者就遇上了这么一位美女。

这小伙子只是个家境普通的大学毕业生，却无意间被一位家境殷实的美女相中，成了美女的男朋友。

这位漂亮的女友艺术院校毕业，电视栏目的主持人，极其注重生活品质。越是漂亮女孩越缺乏安全感。所以她不允许恋爱有一丝一毫的差池。每次见面她都为男友安排测试，测试他的脾气怎么样，测试他在突发情况时如何反应，测他是不是在意她……她还去学织毛衣，为男友量身定做毛衣，买的是澳大利亚进口毛线，仅毛线就 2000 多块钱。

但随着女友表妹的出现，情况发生了变化。表妹没有表姐漂亮，但家底之厚远非漂亮的表姐可比，表妹的爸爸是一家上市公司的董事长，家里有豪车多辆，光安排一次亲戚旅游都能花去上千万。

原本，这位富家表妹是男孩的漂亮女友安排来的考察员，专门来了解这小伙子到底适不适合做自己的表姐夫。但随着考察的深入，意外出现了：表妹也喜欢上了这位准表姐夫，甚至也有以身相许的意思。

于是小伙子就开始挠头了："我喜欢漂亮的表姐，可有钱的表妹能帮我实现人生理想。我渴望爱情，也渴望出人头地。该选哪个才好呢？"

……

财运和桃花运，到底选哪个？

估计不少人都替这小伙子拿不定主意。

很有趣，他和这两姐妹的关系，让人想到了《围城》中的方鸿渐和苏文纨、唐晓芙。苏文纨唐晓芙是两表姐妹，同时爱上了方鸿渐。而方鸿渐也是真心地喜爱着表妹唐晓芙，但由于他的软弱和贪心，迟迟不敢跟苏文纨表达拒绝。最终，落得鸡飞蛋打，这两姐妹同时离他而去，一个也没能留住。

这就是一个贪心男人的爱情，也是一个真心爱他的女人的耻辱。当他在比较娶哪个更有利的时候，她们的心，就已然在渐渐远离了。

小伙子曾说，那位漂亮表姐，为他准备了一道道智力测试题。而如今这位表妹，怎能肯定这不是又一场测试？

表姐让表妹出面来测他的忠贞。她当然知道自己表妹身为巨富之家，她也当然明白表妹的优势对男人有着某种巨大的诱惑。她如此心平气和地让这两人单独约会，也许这是她给爱情设定的最后一道测试题：测男友对财富的贪婪度。

总觉得，这场测试中，如果他赢了，可以赢得美人真正芳心；但如果他输了，会鸡飞蛋打、落得与"方鸿渐"同样的下场。

因为，那位富家表妹因何而出现，他很清楚。她是背着替表姐测试爱情的任务而来的。一个没能经得起财富诱惑而背叛爱情的男人，富家女心里，真的会放心去爱吗？

美女没有安全感，而一个巨富之家的千金，比美女更加缺乏安全感。女人即便再笨，但一个男人是爱她的人还是爱她爸爸的钱，她还能分辨得清楚。

最后我跟他说："小伙子，最后一关了，不要轻易地输掉。"

当然，至于会不会赢得这场测试，那还得看他的定力了。

毕竟，人总是如此：即便明知前路是陷阱，但那闪眼的金子也总让他不顾一切地想去赌上一把。

有心计的美女的确难缠，但也只有顶得住诱惑的男人，才配做她的爱人。

很多人遗憾：独生子女一代，极少人有机会再有亲姐妹。
一个姐妹成群的家庭中，未必所有女孩都活得快乐。

姐妹争情

偶像剧中，总会有些因爱反目的姐妹。姐妹两人同时爱上了一个男人，强悍而有心计的那一位，会想尽办法动用各种手段把男人抢到手。但至此，故事还不是终点，接下来的生活中，她会小心保护胜利果实，提防这个被自己辛苦弄到手的男人，提防曾经跟自己争过爱情的姐妹。

生活中，也有此类姐妹。前段时间，我便遇上了这么一对。

姐姐与姐夫的婚姻是一路共患难走过来的。十年恩爱不容易。一次姐夫出轨却彻底打碎了家庭的平静。原本姐姐还想用温柔挽回姐夫的心。当她发现小三是自己的亲妹妹时，她实在没有办法再说服自己回到从前了。最终她选择了离婚。随后不久，妹妹嫁过了门去，丈夫从此成了妹夫。

姐姐以为从此会是全新的开始。恰恰，噩梦才刚刚开始：此后的几年时间里，妹妹不择手段地去散布关于姐姐的谣言，目的就是为了要让姐姐过不下去。致使姐姐的男友纷纷因为误会分了手。家人面对这位阴毒的妹妹也无计可施，她们"共同的婆婆"也后悔当初答应让儿子离了婚娶了妹妹。只是苦了姐姐："我怎么这么倒霉，碰上这么个变态的妹妹？！"

……

有一些小三，抢到了人家的老公之后，会希望他的前妻尽快找到新归宿，只要有个新男人接收他前妻，自己刚抢到手的这个老公就算是保险了。至少破镜重圆的希望渺茫了。

有一些小三，即便抢到了人家的老公，也狠毒地想要毁灭他的前妻，她不希望他曾经的妻子过得幸福，至少不能比她幸福。这样阴毒的女人心里，有很深很深的自卑。

不用多说，这位姐姐必定是个优秀的女人。每一位优秀的姐姐背后，总有个活在阴影下的妹妹：姐姐是妹妹的榜样，姐姐的生活方式便是从小父母对妹妹的一切要求。

做个妹妹，原本挺幸福。但做个优秀女人的妹妹，总会活得有些些辛苦。

毕竟，这两姐妹的故事中，在通常的情况下，即便小姨子对姐夫有那么点点青睐，也一定不会真的动手去跟姐姐抢。这位妹妹，不仅抢了，还爱恶人告状，害姐姐活不痛快。这就只有一种可能性：她恨姐姐！

我想，这种恨，大概由来已久了。姐姐是那么的善良优秀，讨人喜欢。妹妹心里面的不平衡感已是由来已久了。不见得是妹妹自身条件比姐姐差多少，而是生活在姐姐的光环之下，她压抑，她恨不得能毁灭姐姐一切的快乐！

往往这样的女孩子，会极度缺乏安全感。一个女人，表现得越强悍、越不讲道理，只能说明她内心越脆弱。

生活中，一个楷模式的姐姐，总会有个叛逆乖张的妹妹。虽然她让姐姐活得很不舒服，但还是希望姐姐们能善良地去想一想：其实，施恨者永远比被恨者痛苦百倍！

有些爱，注定是无言的结局。
但有些人，却坚持要一路走下去。
谁让，有些吻，实在太有杀伤力！

清纯也是一种做作

有些男女，是因爱而吻。

有些男女，会因吻而爱。

尤其都市中青春正好的女子，多浪漫也多寂寞。脑袋里构想了千遍万遍浪漫的桥段，若某一日，一个多情又多才的男子，一吻的热度灼烫了全身，满足了女人的浪漫，缓解了女人的寂寞。

这样一个男人，教你如何不爱他？

好多女人，因了一个吻，惹上了情祸。

曾经有个年轻女孩跟我讲她和男上司的故事：也是一次公司聚会，也是男上司借着酒劲儿不期然地吻了她……女孩蒙了，但也因此心动了。

从此之后，这一对男女关系就暧昧了。男上司有家庭，不可能时常陪在她身边。女孩还是处女，没有过正式的恋爱经历，对男女情缘总抱有十二分的浪漫情怀。他们曾经单独开过两次房，女孩只是想单纯地跟他在一起，因为她坚持婚前守贞。两次，美人在侧，却不能施展拳脚，男上司也是辛苦难忍。但毕竟同一家公司相处起来，用强，总不太好。最终，还是克制住了。

女孩对他的爱一天深似一天，却还得信守着"不破坏他家庭"的承诺，有时想念狠了，会在夜半时分给他发个短信，但最近，他已很少回复。她明白，他的爱在一天天流逝中，甚至她不确定，他是否真的曾经爱过她？

可她走不出来了。一个人的爱情，谈得很累，却也无力抽身……

多少女人，爱上了男人。

又有多少女人，爱上了爱情。

两次开房，很险，没发生过什么。

女孩觉得这才像爱情，无欲无求。实则，一个有家庭的男人，跟公司里的女下属搞暧昧，绝不是只想谈场言情的恋爱。他有肉体需求、有强烈欲望。

开房但不上床，就好比是女人的一次次先引诱、再拒绝。

来回几次之后，若不被他得手，大概，他也该对她厌烦了。

女人总想给男人留个完美的背影，即便没得到他的人，也要占有他心里的一方位置。

只不过，她认为的清纯，他却只认为是做作。

确实，一个男人眼里，女人肯跟他开房却不肯跟他上床，本身就是种做作。

于今，午夜短信，他回得越来越少，足见是，对这种纯形而上的恋爱游戏，已经没太多兴趣继续玩下去了。

每个女孩子内心都有自己的一份爱情幻想。这一个人的爱情，是场独角戏，甘苦自知。

初恋的情人，只不过是这其中配戏的人。

都说人生如戏。

但能入戏的女人钓得住男人，能出戏的女人才抓得住人生！

男人那点心思 女人那点心计

附录　苏芩语录

真正的爱，从来无关热闹。

最爱你的人，是陪你一起耐守平淡。

但凡爱过的女人，很难做到对爱狠心。

男人的清高有可能是迂腐。女人的清高是一种身段。

不论多么死正经的男人，都会有死不正经的另一面。

越开放的女人，才越能让男人放得开。

上床之前，男人用下半身思考，女人用上半身思考。

上床之后，男人用上半身思考，女人用下半身思考。

看来，男人女人心态的转折点，都在床上。

只有真爱一个男人，女人才会在乎自尊。

男人最大方的两个时刻是：

上床之前——为了得手，不惜重金砸开闺门。

上床之后——因为心虚，害怕女人会闹，赶紧许重金善后。

女人开始想到换发型，说明她开始想换爱情了。

一个女人频频更换发型，说明她最近遇上了一个很难搞定的男人。

当一个人用力爱过一次，之后的爱，总有些力不从心。

当一个女人说"你真坏"，意味着她打算接受他的追求。
当一个女人说"你真好"，意味着她没打算做他的女朋友。

好男人的好，好在太"实在"。
这是男人最值得信赖的处世品质，也是女人最深恶痛绝的恋爱特质。

女人喜欢能让自己快乐的男人。女人割舍不下让自己不快乐的男人。

女人，即便陪在那个让她开怀的男人身边，心里依旧放不下那个曾让她蹙眉的人。

伤心的爱情，总比开心的爱情更让人眷恋。因为伤心之际，我们被泪水蒙了双眼。

走进了你生命的人，会带给你一段人生。走近你生命的人，会留给你一段记忆。
每段过往，都不会是无意义的。

回想起初恋，男人笑容良多。

回想起初恋，女人泪水更多。

真正爱的世界里，没有"负心"的概念。一个人若是已经不再爱你却还假装爱你，那才最令人鄙夷。

女人这一生，总在头发上花费着心思，那是因为，那三千青丝间，萦绕着女人的情思。

男人都渴望占有处女。实则，女人也渴望占有处男。

过往的经历，会成为男人女人心底的疤痕。

如果注定无法更早一点地遇上他，那就用更快乐的方式拥有他。

男人的承诺让女人感动。

男人的轻抚让女人悸动。

随着感情的深入，男人会越来越自信，女人会越来越不自信。

这是时间，给予恋爱男女最不同的礼物。

一个太轻易就能让女人笑的男人，也总能让她哭得更伤情……

最接近床的时候，男女间聊的话题离"床"越远。爱，需要装装正经。

最高段的调情，调的不是"情"，是"情绪"。

婚礼是女人的时装秀。男人只盼望这场秀越快结束越好。

提到结婚，女人想到的是穿衣服——婚纱、唐装、晚礼服……越多越好。

提到结婚，男人想到的是脱衣服——不论唐装还是西装……越快越好。

虽然男人普遍不太喜欢清高的女人。但女人的清高，莫不是为了让男人看到。

能让一个女人变傻，那只说明她真的爱上了。而危险的游戏中，真正爱上的那个人，一定是会被踢出局的人。

女人虽然都喜欢被追。但一个男人若总是在追着她走，她也只会瞧不起他。

一个人若不能真正做到"懂你"，那他的爱，越深，越磨人……

男人沉默了，说明是想说真话了。

女人沉默了，说明是想编瞎话了。

男人都喜欢跟"上床容易"的女人交往。
男人却喜欢跟"上床不易"的女人谈婚论嫁。

女人的嫁妆越多，男人上床越麻烦。
男人的婚资越多，女人上床越容易。

男人都烦爱"装"的女人。男人也怕"不装"的女人。
一个女人，不肯在他面前"装"：要么是对他不感兴趣，要么是已死死吃定了他。

男人通常都伪装坚强，女人一般都假装娇弱。

女人结婚之前，只想要一个老公，有了老公之后，她想要一切！
男人结婚之前，想要无数个老婆，有了老婆之后，他一个也不想要！

女人喜欢一个男人，会对他动手，亦会对他动脚。
男人喜欢一个女人，只会对她动手动脚。

女人天天琢磨男人在想些什么。
等琢磨明白了，她会大呼"上当"：被这男人骗了！

不论什么样的红颜，一旦成了情人，便不可能再是知己。

男人的人生理想是有钱、有后。男人喜欢的女人要"有前有后"。

男人都希望女人是个"童话"。女人更希望男人像个"神话"。"童话"撞上了"神话"，闹出的都是笑话。

女人对男人的好，多半是种投资，投到一定数额之后，她开始要求更丰厚的回报。

对异性的亲密，也是一种虚荣。这是证明自身魅力的好机会。

女人，你若不能给他一个孩子，他就会给你一个情敌，因为男人害怕女人的过分关注，他要分散她的注意力。

女人最大的偏见是认为同性们都嫉妒自己。
男人最大的偏见是认为异性们都爱慕自己。

每个男人身边都该有个女人。女人是男人的一面镜子，她总有办法让他知道，他的本事比其他男人差多远。

女人说起自己的"社会关系"，男人只会联想到一堆"男女关系"。

跟生人聊人生，基本属互相勾引。

能让一个人放不下，一定是他拥有不了。

爱因斯坦说：疯狂就是一再重复相同的事情，却期望得到不同的结果。

女人的疯狂是，总在爱上同一类男人，却期望他们给自己写出各不相同的结果。

初恋之后的每一次恋爱，女人都是致力于寻找初恋情人的升级版本：既要相似，又不能趋同。感觉上要相似，条件上要更强。

爱上了一个女人，男人爱耍帅。爱上了一个男人，女人爱装酷。

不过，装到最后，谁都希望对方快点露馅，因为，装，也是很累的工作。

女人觉得男人都爱有品位的女人。于是成为了有品位的女人之后，她发现，男人的眼神依旧还是游走在她的胸部……

女人一性感，男人就感性。

唯有让男人感性起来，女人才能更顺利地把他拖进婚姻。

做一个有魅力的女人，关键点在于：她会让他想她，但不会让他想得太多。

结婚前，男人的闷，女人会觉得很 man。
结婚后，男人即便很 man，女人也会觉得他实在太闷。

问：婚姻教会了男人什么？
答：与老婆过招时的迂回和狡猾。

男人就是不敢跟老婆讲太多实话。实话一旦说出口，谁都料不到会是怎样的结局。

一个人为了骗你而爱你，至少，他（她）能让你活得舒服。

再笨的女人也能一眼看透对面的男人是不是真的爱她。
再蠢的男人也能了解对面的女人是为了钱还是为了爱而跟他。

女人没考虑好是否要嫁给一个男人，通常不愿跟他发生关系；
男人即便没考虑过要娶一个女人，通常也愿意先跟她发生关系。

一个男人，会不会娶一个女人，往往从一开始就打算好了。之后，所有一切的交往，都不过是在为"分"和"合"寻找论证点。

对男人而言，生活比生命现实。

对女人而言，生理比生活残酷。

诱惑的背后，是身价的象征。

虚荣心，都说它是坏东西。该尽快丢掉。
实则，一点虚荣心都没有的人，不太可能有成功。

别跟女人说出自己真正的缺点，否则她会永远没完没了地盯着那里。
别跟别人说出自己真正的弱点，否则总有一天他（她）会照着那里来上一拳。

少不更事时，你和时间开玩笑，它却对你很认真。
年事渐长时，你很认真地对待时间，它却开始跟你开玩笑。

时间最狡猾。它总在年轻时给你最多的机会，因为它知道，大多数，你抓不住。

男人比女人更渴望背后议论人家的鸡毛蒜皮。且男人之间的"流言"，是更有地位的表现。

才情，是女人寻求成功的本钱，由着此，她想要一切。于是，有点才情的女人，常常活得不幸福。

曾经，为了看清自己的脸，女人会去照镜子。

如今，想要看清自己的脸，女人会去看照片。

镜子没法作假，但照片，可以让女人看到更美的自己。

一个女人不幸福，是从她看到了"别人的幸福"开始的……

羡慕嫉妒恨一个人，很难受。但被周围人羡慕嫉妒恨，那感觉，会更糟。

落寞也是一种神秘。男人总迷恋那些落落寡欢的女人。

开朗也是一种喧嚣。男人也逃避那些朋友成群的女人。

剩男剩女总爱说自己不挑。

其实并不是真的"不挑"。只不过 N 多年的恋爱经历下来，他们已经学会了"低调地挑"。

男人的幽默，女人会衍生出其中爱的深意。

女人的幽默，男人通常只是当成笑话来听。

对女人而言，爱得千回百转，才有滋味。

对男人而言，爱得直接一点，才是过瘾。

有些女人是会哭，有些女人是爱哭。

会哭的女人让男人动心。爱哭的女人让男人烦心。

女人的泪，是为了让他多爱她一点。

可常常，女人的泪，会让他觉得爱她更少了一点。

聪明的女人，不要在他面前流泪。要想办法让他知道：你曾为他哭泣。

这才是眼泪，最有价值的体现。

征服一个女人，也许最终的落脚点都是床。但这之前的步骤，却是评判男人质量的关键！

女人总爱给男人追求自己的机会，即便是她不爱的男人。

可惜，她即便给了他"追"的机会，也不会给他"追到"的机会。

爱，会堵上女人的耳朵。

当一个女人，能够听得进旁人的声音，八成，她已经离爱，越来越远了……

有些女人嫌男人手不老实，有些女人嫌男人手太老实。

男人一双手，也是女人评判男人质量的试金石。

一个女人可以讲理，对男人而言，才是能过日子的对象。

恋爱，女人更需要热度，男人需要适当的冷度。

有些人是急性子，有些人是慢性子。
"爱情"是个不快不慢的性子。面对它，你要有耐心，同时，也不要拖得太久。

女人第一次对男人的求爱表示同意，总是默许的。
不过男人常常把这种"默许"理解为"拒绝"。

一个女人，如果真遇到反感男人的追求，才懒得顾忌他的颜面，会直截了当跟他说"NO"！
一个女人，开始顾及男人的面子，说明她心里已然有他。

人性本贱。
所以，越是被宠坏了的女人，男人越爱宠。

女人邀请男人回家，一定是为了向他展示自己的贤惠能干。
男人邀请女人回家，一定是想进一步了解她的"身材尺码"。

家，永远是一个人最私密的空间，一个人愿意向异性展示这个空间，其隐含的心理，不外乎是想把他（她）发展成这里面的人。

男人会把女人是否答应跟他上楼，当成是可否进一步上床的根据。男人心目中，一个女人肯迈进他家的门，他就有信心把她弄上床。

真喜欢一个人，那就不要对他太好。
你一个人的好，会为他招来天下人的羡慕嫉妒恨。

当一个女人开始为一个男人化妆，也许是她心动了。
当一个女人开始为一个男人不化妆，那才真是她把心交出去了。

高调过的人，才能学会低调。
张狂过的人，才能理解淡定。

一个人低调，是因为他有自信：自己可以随时高调。
一个人淡定，是因为他明白了：已经没有事情可让自己抓狂。

在女人看来，时间让女人慢慢变老。
在男人看来，时间让女人慢慢变态。

对男人而言，物质的资本＝婚姻的资产。
对女人而言，青春的资本＝婚姻的资产。

一个女人，站在他的身边，是不是最好，并不最重要。

最重要的是，你具不具有无可替代的位置。

无助，可以使某些人变得强大，却只能使多数人越来越卑微。
这全取决于，无助的时候，你在干什么。

男人觉得女人什么都不懂，女人觉得自己什么都懂。这是男人女人矛盾的症结点。

一个人，面对你的邀约，总有忙不完的事情，那只证明一点：你其实在他生活中所排的位置并不太靠前。

有些微笑是甜的。有些微笑是苦的。
很多人脸上笑得太甜，是因为心里实在太苦。

有些人，微笑时，对世界会有微微的俯视。那是自信的微笑。
有些人，微笑时，对别人会有轻轻的仰视。那是自卑的微笑。

心的容量有多大，决定人的出路有多广。

真正的体贴，是让你意识不到的。
能让你感激到涕零的体贴，都不过是收买人心的手法。

能让男人爱的是女人，能让男人甘愿娶回家的还是女孩。

这是男人最大的矛盾，也是关于女人最深的尴尬。

男人没钱的时候想结婚，为了省钱。

男人有钱的时候不在乎结不结婚，因为不差钱，多少姑娘都约得起了。

男人挽留爱情的方式，是不断地开始下一段爱情。

女人挽留爱情的方式，是进入下一阶段的全新关系。

也许一个男人第一次见这个女人，就对她说："你像我未来的妻子。"

但一个男人的最后一次求婚，一定是迫于女人的压力，不得不作出的承诺。

当爱情终结时，女人都渴望一个肯为她负责的男人。

若实在找不到这样一个男人，女人会努力寻找一个肯为她付账的男人。

男人要有事业，女人要有事做。

抛开功利性质不谈，做一件你喜欢的事，可以帮你避开过多扰心的欲望。

婚姻的真谛不在于"跟谁过"，而在于"怎么过"。

一个男人，真正的成熟，是从结婚开始的。

所以，别人的老公，看起来总是那么的有滋有味。

婚姻，是女人一生最后一次"谈条件"的机会。

男人逗引女人是为了获得生理满足感。

女人逗引男人是为了获得心理满足感。

男人口口声声说不在乎女人的过去，但通常，说这话的男人，一定还是没有真正得到过这个女人。

男人追女人，是不计较成本的，但男人追到女人之后，会心疼自己之前的付出。

礼物，是男人试探女人的敲门砖，一个肯收男人礼物的女人，男人就总会有办法把她的人弄到手！

男人想要得到一个从未经任何男人染指过的女人，隐隐中说明了，他害怕与人的竞争。

很多人把"爱"当成疗伤的办法。

于是，当他伤愈之后，那个帮他疗伤的人，却被伤透了……

用刀子都挽回不来的爱人，女人会迷恋一辈子。

而这种迷恋的感觉，就是女人最极致的自虐。

世上有两样东西，人拥有得越多，越想更多地拥有。

一样是钱，一样是爱。

酒能使人亮出自己的真实想法。床能亮出人真实的本性。

俗不可耐的女人男人未必不接受，只要她有点姿色。

俗不可耐的男人女人未必全不理，只要他有点资财。

有资本，你可以俗。没有资本，你最好还是学点雅气。

有些男人，会对全世界的女人都表现出最得体的风度，唯独对老婆除外。

有些女人，会对全世界的男人都表现出最温柔的宽厚，唯独对老公除外。

不是他们表里不一。而是，情越多，礼越少。

有些聪明得厉害的女人，从不正面地去做某个男人的小三或二奶，她只会与他保持暧昧的情缘。

虽然这与做小三区别不大，但至少，在名声上，她虽风流过，但没堕落过。

所谓老公，就是最后一个知道自己家家丑的人。

所谓老婆，就是第一个知道邻居家家丑的人。

女人总怕自己变老。其实她没想明白，一旦自己不再变老，就离死不远了。

美女的嫁妆在她的脸上。帅哥的婚资还是得看他的腰包。

美女，是情人的天堂，恋人的地狱，老公的炼狱。

跟美女的关系越近，男人的感觉越煎熬。

女人愿意相信许多假的东西，因为若她不信，男人就会怀疑她是不是真的女人。

成年男人只不过是长得比较大的男孩子，成年女人只不过是装成妈妈样子的女孩子。别总要求对方更成熟。人不到生命终点，学不会真的长大。

男人希望被更多的人知道。

女人希望被更多的人谈到。

女人的一次失足也许一生无法弥补，男人的一次失言也许全局都无可挽回。

女人最重要的是做对该做的事，男人最重要的是说对该说的话。

女人镜子照得越多，对孩子管得越少。
男人镜子照得越多，对老婆看得越少。

当一个男人开始憔悴，说明他身边有太多个女人在争伴。
当一个女人开始憔悴，说明她身边缺少一个男人的陪伴。

尊贵的女人，在有人跟她说话之前，不会主动先开口。
轻贱的女人，在有人强行打断她之前，不会主动先闭嘴。
但男人显然喜欢不太贵也不太贱的女人，她会主动向他示好，然后闭牢嘴巴微笑着听他讲话。

恋爱后，女人自以为了解了男人。
失恋后，她才发现，之前的"了解"全是"误解"。

追求女人靠智力，追到女人靠能力，娶到女人靠实力……这一系列步骤想反复来 N 多次，你得有财力。

女人婚前都打算只嫁一次人。
女人婚后都犹豫该不该再试着嫁一次碰碰运气。

如今的婚恋市场上流窜着一小撮儿"骗子"。

这些骗子男人，只以过夜为目的，得手之后立马说："其实我们不合适。"

不过，被骗的女孩子们并不愿承认自己遇到了骗子，她们爱把责任归结到"男人"头上："男人没一个好东西！"

爱一个男人，可以收下他的财物。但还没能确定是否爱一个男人时，还是离他的财物远一点好！

寂寞的时候，女人只希望能有人陪伴。一旦有人陪伴，女人会开始想："这个男人为何不能再优质点？"

就像苏格拉底的野蛮太太能让他成为哲学泰斗，跟坏脾气的女人相处，也是男人的一种修炼。

一个女人，想成为一个男人的第一，一定是想成为他的唯一。

男人的钱放在哪里，他的心就会在哪里。

心有多大，舞台就有多大。

但站上了更大的舞台，同时也要有心理准备：不见得从此你会更幸福。

拯救一个人最好的办法，就只有全心去爱！

女人20岁之前的幸福是父母给的，20岁之后的幸福是自己给的。

女孩子们，如果你幸运地生成了一个美女，那切记不要做个清高的冷美人，否则，幸运，也许会成为不幸。

一样东西，如果不失去一次，不会知道它的珍贵。
但最可珍贵的东西，失去一次，便永不会再有第二次获得的机会。

永远不要期望一个熟男会像青春小伙一样去疯追一个女孩。
阅历，让男人丰富，但同时，阅历，也让男人的激情慢慢退却。

男人获得自信的最佳途径是——成为一个弱女子的"神"！

多情的男人，对女人厌倦得也总会太快。

有阅历的男人，拿走了女人的第一次，会有所表示，不会让她觉得太吃亏。但这一切都是有限度的。只要她不索要婚姻、不破坏他的婚姻，他能给她更多一点。

一旦少了"爱"，人会变得挑剔。而越是没有感情基础可言的婚姻，越注重条件。

一个女人对青春流逝的惶恐，那是来自于她婚姻中的不安定感。

女人永远不要轻视自己的丈夫，你越是瞧不起这个男人，他越能用一生让你瞧不起他。同时，也是在用他的一生，让周围人瞧不起你!

一个女人只要开始挑剔，完美就离她越来越远了。

跟你不喜欢的人在一起，他即使对你千万般好，你感受得到吗?
跟不喜欢你的人在一起，你即使对他千万般好，他感受得到吗?
爱，更得相爱!

男人最怕死死纠缠的女人，对女人爱的程度，跟女人对他的痴缠程度正好成反比。

一个男人得到了女人的"第一次"，一定不会对她太狠心。

一个浪子，回头很难。但一个浪子，一旦回头，说明，他是真的决定用一生来爱。

一个男人的真相，永远，只有他老婆才看得清楚。
而除他老婆之外的女人，一旦看清楚了他的真相，也就意味着分手的时候到了！

不论男人还是女人，如果真的是发自内心地喜欢一个人，不会毫无顾忌地向对方要钱。也许捍卫尊严的方式有很多种，但爱情中，人捍卫尊严的方法，却都爱在钱财上面佯装清高。

2010 年，特别流行一句话：宁在宝马里哭，不在单车上笑。
但在一个重情男人的心里，唯有当年陪他蹬过自行车的女人，才配日后让他给她开宝马！

跑进蚌壳里的沙子会成为珍珠，跑进眼睛里的沙子会勾来眼泪。一粒沙子，之所以会有这么不同的结果，是因为，容纳它的介质是不同的。

一段感情，热得快，自然冷得也快。而越是慢热型的男女，一旦真心认准了一个人，那是会用生命去爱的。

有些女人输在太有野心。有些女人输在太没野心。
太有野心的女人也太容易自负。太没野心的女人总少了那么点自信。

每一段恋爱，都有一个最终的底线。这个底线，就是"信任"。如果你不再信任一个人，那就强迫自己不要再去爱他吧。

女人觉得自己是情路坎坷。男人会觉得女人是私生活混乱。

这是男人女人对于"女人情史"的最本质理解。

物质越繁荣，人心越漂泊。

女人花一个男人的钱，花完了之后，起码还能粘连上点爱。

男人花一个女人的钱，花完了之后，会干脆换一个女人继续花。

人生，也只有经历过，才会真的不稀罕。

女人的赌博有很多种，注定会输惨的一种是：随随便便就上了他的床。

恋爱中，很多人的成长，都是因"伤害"的成全。

人生不是苦在"不可预期"，人生只苦在"早已预料"。一段没有悬念没有起伏的生活，才是最大的折磨。

有人说：好女人是男人的学校。

更恰当地说应该是："坏"女人是男人的学校。

一个男人，不在"坏女人"那里吃点亏，是不可能真正了解到好女人的"好"的。

图书在版编目（CIP）数据

男人那点心思，女人那点心计/苏芩著. —长沙：湖南文艺出版社，
2011.7
ISBN 978-7-5404-4991-9

Ⅰ.①男… Ⅱ.①苏… Ⅲ.①恋爱心理学—通俗读物
Ⅳ.① C913.1-49

中国版本图书馆 CIP 数据核字（2011）第 100848 号

男人那点心思，女人那点心计

作　　者：苏　芩
出 版 人：刘清华
责任编辑：丁丽丹　刘诗哲
监　　制：蔡明菲
特约策划：漾　娜
营销编辑：尚　蕾
装帧设计：熊琼工作室 · 果丹
出版发行：湖南文艺出版社
　　　　　（长沙市雨花区东二环一段 508 号　邮编：410014）
网　　址：www.hnwy.net
印　　刷：北京鹏润伟业印刷有限公司
经　　销：新华书店
开　　本：880×1230　1/32
字　　数：175 千字
印　　张：8.5
版　　次：2011 年 7 月第 1 版
印　　次：2011 年 7 月第 1 次印刷
书　　号：ISBN 978-7-5404-4991-9
定　　价：28.00 元
（若有质量问题，请直接与本社出版科联系调换）

THE
END